août 92

# CHEZ LE MÊME ÉDITEUR

**Dans la collection Motivation et épanouissement personnel**

*Devenir riche,* John Paul Getty
*La magie de vivre ses rêves,* David J. Schwartz
*En route vers le succès,* Rosaire Desrosby
*La fortune... sans attente,* M.R. Kopmeyer
*L'homme le plus riche de Babylone,* George S. Clason
*Les lois dynamiques de la prospérité,* Catherine Ponder
*Les lois du succès,* Napoleon Hill
*La vente: Une excellente façon de s'enrichir,* J., Gandolfo

**Dans la collection À l'écoute du succès
(Cassettes de motivation)**

*Réfléchissez et devenez riche,* Napoleon Hill
*Comment attirer l'argent,* Joseph Murphy
*Comment contrôler votre temps et votre vie,* Alan Lakein

**En vente chez votre libraire ou à la maison d'édition**

*Si vous désirez recevoir le catalogue de nos parutions,
il vous suffit d'écrire à la maison d'édition
en indiquant vos nom et adresse.*

Comment
# penser en millionnaire
# et s'enrichir

# COMMENT PEN$ER EN MILLIONNAIRE

# ET S'ENRICHIR

*Traduit de l'anglais par :*
CLAIRE LINE AECHERLI

Les éditions Un monde différent, ltée
3400, boulevard Losch, Suite 8
Saint-Hubert, QC
Canada   J3Y 5T6
(514) 656-2660

Dédié à
ma femme
Edith Ives Hill

# Ce que ce livre va vous apporter

Vous allez apprendre quinze vérités fondamentales, que vous pourrez immédiatement mettre à l'oeuvre: les résultats en seront extrêmement efficaces. Il vous suffit d'animer votre pensée d'un minimum de *détermination,* et vous voilà sur la voie d'un succès auquel vous n'avez jamais osé rêver. Qu'il vous faille un jour ou un mois, vous en retirerez une telle abondance que vous oublierez le petit effort qu'il aura fallu fournir.

Aussitôt que vous aurez réuni tous les renseignements nécessaires à penser comme un millionnaire, vous serez prêt à les arranger en un plan d'action réalisable. Vous vous apercevrez, en les découvrant, que les principes de l'accroissement sont si fondamentaux, que n'importe qui — homme ou femme —possédant un minimum de motivation, est capable de faire réussir sur commande chaque étape de ce plan.

Vous vous apercevrez très vite, dans votre quête de la richesse, des parallèles surprenants que l'on peut établir entre le fait de penser en millionnaire et le fait d'en devenir un. De plus, vous découvrirez que dans presque tous les cas, la pensée précède l'accomplissement.

Certaines personnes, même en invoquant ces quinze principes de toutes leurs forces et à la perfection, ne se retrouveront peut-être pas instantanément millionnaires par leur seul désir de le devenir; mais il en ressort toutefois clairement un fait des plus surprenants. Toute personne, homme ou femme, qui met ce programme d'accroissement à exécution, s'en trouvera extrêmement enrichie en argent, en esprit et en réalisations.

Vous pouvez maintenant vous attaquer à la première étape et ajouter chaque jour un nouvel avantage d'un million de dollars à votre style de vie. La seule limite de ce programme si extraordinairement facile, c'est que vous devrez ensuite développer certaines qualités qui vous permettront de conserver la richesse que vous aurez acquise.

Pourquoi n'essayeriez-vous pas de suivre honnêtement et résolument ces quinze étapes? Non seulement vous penserez comme un millionnaire — mais vous en serez un dans très peu de temps.

# Table des matières

## Troisième étape vers la richesse

Comment exploiter la curiosité sélective. Suivez ces cinq étapes et vous voilà parti! Un homme est parti d'une poignée de grains de blé du Montana. Comment vous engager dans le plein rythme du succès. Système d'évaluation en trois étapes. Attrapez ce qui vous semble valable. « Chiens » se transforme en Bonanza. Même une rose peut vous enrichir. Tout fonctionne. Comment reconnaître un « dormeur ». Les signaux routiers lui ont fait signe. Et puis il y a l'« espace ». Vous pouvez « vous enrichir en pensant », mais avant, vous devez mettre « vos lunettes d'un million de dollars ». Il y a une raison d'argent.

## Quatrième étape vers la richesse

Comment se préparer à la richesse. Lorsque vos pensées se transforment en « choses ». « Demi-tour, Droite! » Quand on sait comment faire — c'est facile.

## Cinquième étape vers la richesse

Comment développer une curiosité pratique. Comment planifier votre position actuelle. Comment tester le potentiel des idées. Comment repérer les « chercheurs de direction ». Neuf puissants enrichisseurs d'informations. Pourquoi faire des vérifications « sur place ».

## Sixième étape vers la richesse

Comment se servir de trois mots d'or. Comment faire démarrer votre idée. Comment récolter les produits du temps et de la patience. Où vous trouverez quatre autres clés d'or. Comment activer les cinq forces dynamiques qui vous permettront d'attirer et de conserver vos contacts. Comment retirer une valeur monétaire de ses contacts.

## Septième étape vers la richesse

## Huitième étape vers la richesse

## Neuvième étape vers la richesse

## Dixième étape vers la richesse

## Onzième étape vers la richesse

## Douzième étape vers la richesse

# Comment
# penser en millionnaire et s'enrichir

# Comment exploiter
# la loi de l'accroissement

Chacun de nous, sans exception, est animé d'une étincelle de génie. Le souffle qui transforme cette flamme minuscule en un brasier d'action ardente, c'est un désir positif et puissant. Et cette transformation, on l'accomplit grâce à un plan très clair et facile à exécuter.

Pour commencer à penser en millionnaire, il vous suffit de vous asseoir, le temps de déterminer en vous-même une chose fondamentale: *Qu'est-ce qui me fait aller de l'avant?* C'est-à-dire, quel intérêt, quelle impulsion, quelle poussée vous motive? Voilà. C'est aussi simple que ça.

## Le feu puissant qui entraîne au succès

Dès que vous aurez déterminé la poussée morale qui vous lance en action, vous aurez découvert le *carburant* qui vous propulsera dans l'orbite des millionnaires, de quelque nature qu'il soit: sexe, succès, renommée ou avancement. A ce moment, le signal est des plus clairs: *en avant...En avant...EN AVANT!*

En pensant bien fort au mot qui déclenche en vous le feu puissant, déterminez exactement ce que vous désirez posséder, accomplir ou gagner, puis écrivez-le, clairement et brièvement. Supposons par exemple que vous avez écrit « Je veux devenir millionnaire.»

Votre première étape sera d'établir un inventaire personnel — et je ne voudrais surtout pas que vous me compreniez de travers. Je ne vous suggère pas ceci pour vous sermonner, mais pour vous éclairer. Vous avez avant tout certaines qualités, certaines tendances naturelles, talents, inclinations et quelque éducation de base qui s'allie à un minimum d'expérience. Faites-en la liste, en vous assurant de les y introduire en tant qu'*atouts personnels* — et non en tant que freins ou empêchements à ce que vous vous préparez à accomplir. Rappelez-vous de ce que disait ce vieux sage chinois: «Un voyage de mille milles commence par un seul premier pas.»

Maintenant que vous avez établi la liste de tous les traits personnels qui sont à votre avantage, faites le total. A partir de cet instant, n'oubliez jamais que cette liste représente votre compte-capital: *on ne peut y toucher sous aucun prétexte.* Et voici le secret du plan d'action simplifié à l'extrême. Ce compte-capital doit être augmenté chaque jour, sans exception, même si ça ne doit être que *d'un seul petit sou.*

### L'habitude d'un accroissement quotidien

Aussi bizarre que cela puisse paraître, cette action apparemment naïve d'augmentation quotidienne est la petite graine de grandes fortunes. C'est elle qui crée les pensées ou la façon de penser dont se nourrissent les millionnaires. C'est exactement ce qu'écrit le prophète Job (chapitre 22, verset 28): «A tes résolutions répondra le succès...»

Une fois que vous avez terminé ces préparatifs de base pour penser en millionnaire, vous êtes prêts à vous engager dans l'étape finale, qui est d'importance primordiale. Pour penser comme pensent les personnes très riches, il vous faut constamment fixer cette «carotte», ce but et ajouter chaque jour un peu de la substance qui accroîtra votre fortune — et puis, il faut vous engager dans l'étape suivante.

### Commencez par vous nettoyer l'esprit

De nos jours, on reconnaît généralement que la santé, la richesse et le succès exceptionnel naissent dans l'esprit; il est donc logique que l'on s'applique à retirer toute la mauvaise herbe du terrain fertile où doivent pousser les grandes fortunes. Et ce principe n'est pas un rêve illusoire élaboré avec art par quelque psychologue amateur; on l'a dérivé et confirmé scientifiquement d'après l'expérience de milliers d'hommes et de femmes qui ont gagné un million de dollars et qui ont su en même temps développer un talent essentiel — celui de savoir ensuite conserver leur argent.

Commencez dès aujourd'hui à éliminer de votre pensée quotidienne toutes réflexions négatives: tout ce qui est regret, haine, ressentiment, superstition et/ou peur. Autrement dit, débarrassez votre esprit de toutes pensées défaitistes. Je vais gagner: à partir de maintenant, ceci devient votre déclaration et vous allez l'affirmer constamment.

## «On donnera à celui qui a»

Cette expression bien familière a probablement jailli des profondeurs d'une frustration accablante; elle exprime toutefois une grande vérité. Il est reconnu que lorsqu'un homme ou une femme déterminé ajoute quelque chose à ses possessions, ce qui vient d'être acquis tend à attirer un accroissement. Il est souvent difficile de prédire la nature même de l'avantage, mais vous pouvez être sûr d'une chose; *vous recevrez quelque chose de plus*.

La nature même de ce que vous ajoutez à vos possessions et la façon dont vous le faites, sont des facteurs d'importance mineure. J'ai connu un jeune homme qui mourait d'envie de posséder une terre; et pourtant, à l'époque, il menait la vie frustre d'un valet de ferme à trente dollars par mois. Un jour, désespéré, il a pris une vieille caisse abandonnée, l'a remplie de terre et a déclaré: «Cette terre est à moi. Un jour, elle inclura toute cette vallée.» Le gaillard a emmené son petit «lot» de terrain à la cabane et l'a poussé sous le cadre de bois franc qui lui servait de lit. Chaque jour, il retirait la caisse qui se trouvait sous le lit et répétait très intensément la déclaration qu'il avait faite au début.

Les grossiers ouvriers temporaires qui partageaient les quartiers délabrés du jeune homme se sont moqués sans pitié de sa «propriété», mais il n'a pas abandonné son but. L'histoire de ce garçon «complètement piqué» qui voulait absolument posséder une terre est vite arrivée à la ville voisine. Mais deux personnes ne se sont pas moquées avec les autres. La première, c'était une fille, la fille d'un loueur de chevaux et l'autre, c'était un fermier déçu, Jack Snowden, qui avait établi une ferme de cent soixante acres à l'époque où la vallée avait été ouverte aux défricheurs. Un samedi, vers la fin de l'après-midi, il a rencontré le garçon dans le magasin général et lui a lancé en plaisantant plus qu'autre chose, «Fiston, donne-moi vingt dollars et je te donne l'acte de propriété de ma terre de Sandy Corners.» Sans hésiter une seconde, le gamin a sorti vingt dollars, c'est-à-dire tout l'argent qu'il possédait au monde et a répliqué «J'accepte.»

Sur ces maigres débuts, le garçon a continué d'acheter du terrain pauvre à des prix exceptionnellement bas, jusqu'à ce qu'il se trouve en possession de mille acres de terre agricole marginale. Entre-temps, il avait épousé la jeune fille qui avait apprécié ce qu'il avait fait et aujourd'hui ses fils s'occupent du ranch pendant que sa femme et lui voyagent partout où ils le désirent.

### Une seule image peut réaliser vos rêves

La leçon est donc évidente. Si vous avez une forte envie de quelque chose, il vous suffit de commencer dès maintenant avec ce que vous avez sous la main, même si ce n'est qu'une image de ce que vous désirez posséder.

Si vous ne voyez pas comment il est possible d'accroître ses biens à l'aide d'images, écoutez donc cette histoire: John Gaddes était un jeune homme assez ambitieux et il voulait une Cadillac décapotable à lui. Il avait beau polir sa vieille «minoune» et en prendre grand soin, il n'était pas entièrement satisfait. Un jour, il a découvert dans une revue d'actualité l'image exacte de ses rêves... un bijou de voiture que l'art du lithographe avait su faire briller de tous ses éclats et de toute son élégance. C'était exactement ce qu'il voulait. Il a découpé la photo, qu'il a pliée avec soin et a rangée dans son portefeuille; il la sortait plusieurs fois par jour et en contemplait l'éclat; il ne se rendait pas compte qu'en faisant cela, il alimentait la puissance d'une loi naturelle qui ne serait pas infructueuse.

Un jour, un de ses amis lui a appris que son beau-père ne pouvait plus conduire sa Cadillac familiale. Est-ce que John serait intéressé à en prendre possession, pour un bon prix? Il l'était. Quelques heures plus tard, il était en possession de la belle limousine à deux portes, qu'il avait obtenue pour une somme ridicule. Il n'a eu aucune peine à se débarasser de sa «minoune»: un étudiant du secondaire s'en est emparé pour à peu près le même prix que ce qu'il avait payé pour la Cadillac. Et c'est ainsi que John a continué à imaginer la voiture de ses rêves.

*Apprenez à ne suivre qu'une étape à la fois*
   John avait à peine eu le temps de s'habituer à sa nouvelle acquisition lorsqu'il a eu l'occasion de l'échanger contre un modèle plus récent et même en meilleure condition ; et tout cela, apparemment, sans aucun effort de sa part. Effectivement, du reste, en fixant intensément l'image de l'objet de ses désirs, il avait déclenché une loi d'accroissement fondamentale. Mieux encore, pour atteindre son but, il n'a eu à assumer qu'une obligation minime envers la banque.

*Les grandes affaires naissent d'idées minuscules*
   Ceci surprendra peut-être bien des gens, mais la plupart des affaires qui ont rapporté beaucoup d'argent ne sont nées que d'idées bien terre à terre. L'astuce, c'est de transformer cette idée bien ordinaire en une chose très spéciale. Et il existe plusieurs façons de le faire. Voici cinq procédés fondamentaux qui vous mettront dans la bonne direction. Vous serez ensuite en mesure de choisir le plan ou le stratagème qui s'adaptera le mieux à votre objectif, ou peut-être préférerez-vous combiner une ou plusieurs de ces méthodes. Ou mieux encore, avec un éclair d'imagination, ces suggestions donneront une nouvelle tournure à votre programme, et vous plongeront du jour au lendemain dans l'atmosphère stimulante d'une richesse confortable.
   1. Choisissez une idée bien ordinaire et ajoutez-y un peu de couleur, une nouvelle tournure, un nom ou une utilisation originale, faites-vous acclamer et peut-être aussi gagnerez-vous une fortune.
   2. Habituez-vous résolument à ajouter quelque chose à votre idée chaque jour, sans exception. La pratique incessante de l'accroissement quotidien est irrésistible.
   3. Exploitez la loi de l'accroissement ou de l'attraction en possédant l'image ou une partie minime de ce à quoi vous désirez arriver.
   4. Cherchez où est l'action. C'est-à-dire, cherchez à savoir qui pourrait s'intéresser au genre d'idée que vous avez en tête.

5. Une fois que vous avez trouvé l'idée que vous voulez développer, animez votre nouvel intérêt d'une véritable puissance de propulsion et enflammez-le d'enthousiasme. A ce moment-là, rien ne peut plus vous arrêter.

Il arrive quelquefois que des idées explosent comme si on les avait propulsées avec une puissance atomique. La raison en est évidente. L'humanité répond à l'inhabituel d'une façon extraordinaire. Ceci me rappelle l'enthousiasme indescriptible qu'a suscité récemment la lubie de deux écolières de Bloomfield Hill, Michigan. Christina Darwell et Mary Jane Hiler, étudiantes «séniors» de Kingswood High School, déjeunaient à la cantine de l'école. Ce jour-là, on y servait des bananes. Sur chacune d'elles se trouvait une petite étiquette auto-collante. Dans un éclair d'humour bien adolescent, les deux filles ont ôté les étiquettes et se les ont collées au beau milieu du front.

A peine quelques instants plus tard, les jeunes des tables voisines voulaient tous savoir «ce que c'était le truc?» Dans un éclair d'imagination inspirée, les deux filles ont informé leurs camarades, sans rire, bien sûr, que la compagnie distributrice des fruits allait donner une voiture à chaque personne qui aurait récolté un certain nombre d'étiquettes. «Nous avons l'intention,» dit Christina, «d'obtenir une voiture sport et quand elle arrivera, nous organiserons une loterie dont elle sera le gros lot et nous donnerons l'argent à l'école comme fonds de bourse.»

Pour une raison inexplicable, l'histoire a eu un succès des plus inattendus. Leurs camarades se sont mis à récolter les étiquettes. Le personnel de la cantine a pris la peine de détacher l'étiquette de chaque banane qu'il recevait. En un rien de temps, professeurs, parents et gardiens s'étaient jetés dans l'action et les jeunes filles se sont retrouvées littéralement submergées d'étiquettes. Lorsque les professeurs se sont mis à porter des broches sur lesquelles on pouvait lire «Vivent les bananes», les jeunes filles ont paniqué.

Désespérées, elles ont composé avec soin une lettre pour la compagnie de distribution de fruits, dans laquelle elles expliquaient ce qui s'était passé. «Nous nous trouvons en possession d'environ dix mille étiquettes et nous ne savons pas qu'en faire. Auriez-vous quelque chose à nous suggérer?»

John M. Fox, président de la United Fruit Company, était lui-même une personne très créative; il a déclaré qu'une telle ingéniosité méritait une récompense. Il écrit aux jeunes filles en leur disant que contre 15,650 étiquettes, la compagnie assurerait à Kingswood High School une bourse de $2,600.00, à condition que l'étudiant bénéficiaire soit choisi dans l'une des écoles de la compagnie en Amérique Centrale. Et c'est ainsi qu'une étincelle spontanée s'est matérialisée et a ouvert, pour des années à venir, des perspectives nouvelles aux jeunes adolescents ambitieux de l'Amérique Latine.

*Le principe de l'accroissement est la base de la loi naturelle*

Pour faire animer la première étape qui vous mène à l'accroissement, il vous faut exécuter trois mouvements mentaux élémentaires. Le feu puissant qui déclenche cette énergie extraordinaire, c'est l'étincelle minuscule du désir d'une certaine chose. A partir de ce moment, la route s'ouvre comme par magie.
1. Votre désir doit être insatiable.
2. Forcez-vous à faire au moins une chose chaque jour pour atteindre votre but.
3. Enflammez votre désir d'un grand intérêt et de beaucoup d'enthousiasme.
Si vous exploitez ces trois principes fondamentaux, rien ne peut arrêter votre progrès, car ils composent la force de l'énergie qui a été créée pour vous dès la genèse de l'humanité. En fait, c'est ça, penser entièrement et à fond comme un millionnaire.
Fort heureusement pour la race humaine, les lois de la nature ne nous permettent d'aller que vers l'avant. Maintenant que vous tenez en main ce bloc de conseils hors-pair qui n'attend que d'être exploité, il ne vous reste plus qu'à pointer du doigt votre destinée. C'est aussi simple que ça. Cependant, à ce principe fondamental de l'accroissement s'oppose une autre force toute aussi puissante. Voilà : le contraire de la croissance, c'est la détérioration. Vous n'avez donc pas le choix. Soit que vous avanciez vers un réel accomplissement, soit que vous glissiez en arrière pour retomber dans la médiocrité et végéter. Je sais que pour vous, à ce point, cette pensée est terriblement négative, mais c'est une des lois de la vie que l'on ne peut pas se permettre d'ignorer.

Il n'y a pas moyen d'éviter une loi naturelle ou d'y échapper. Lorsque tout semble conspirer contre vous, une simple prière pour demander conseil saura réactiver les forces de la croissance et vous relancer vers un avenir des plus brillants.

## Vos facultés d'accroissement sont illimitées

Je me souviens d'un de mes camarades d'école, qui brûlait d'envie de devenir avocat; mais la condition financière de sa famille éliminait tout espoir d'aller à l'université. Et pourtant, même cet obstacle ne décourageait pas le gaillard. Il obtint d'abord un petit emploi de messager dans une banque du quartier. Sa deuxième étape fut de s'inscrire à un cours de droit commercial en cours du soir, car il n'était pas satisfait du programme régulier de l'école. Il cherchait à approfondir la matière autant que possible, posait des questions à ses supérieurs, hantait la bibliothèque pour y lire tous les livres qui traitaient du sujet qui le passionnait.

Le jeune homme attira très vite l'attention du président de la banque. Lorsque la banque a eu besoin d'un notaire pour mieux servir ses clients, il a fait la demande d'emploi et a été accepté. Cette nouvelle responsabilité lui a permis d'apprendre tout ce qu'il pouvait sur ses droits et ses obligations envers la loi. Un jour, la publicité flamboyante d'un cours de droit par correspondance lui est tombée sous les yeux. Il a versé un petit acompte et s'est inscrit au cours, sachant pertinemment qu'il ne serait jamais accepté au barreau avec un simple diplôme par correspondance.

Mais ses études lui ont ouvert des champs de connaissance tout nouveaux et il en a appris très vite beaucoup dans le domaine de la jurisprudence. En plus de cette connaissance de base, il s'est tenu au courant des développements dans ce domaine, en étudiant des rapports de droit, en assistant quand il le pouvait à des séminaires, en suivant des cours du soir, en étudiant les livres de droit qui lui permettaient de suivre le flot de documents légaux qui passaient à la banque, jusqu'à ce qu'il juge qu'il en connaissait assez pour se présenter aux examens du barreau.

Il serait agréable de pouvoir dire qu'il a passé du premier coup, mais ça ne devait pas s'avérer ainsi. Mais il a cependant réussi à approfondir ses connaissances à un point tel, que

26

l'année suivante, à son deuxième essai, il a réussi les examens «haut la main».

*La première étape est de regarder vers l'avant et d'avancer, avancer, avancer!*

Personne, et je dis bien personne, n'est jamais arrivé à devenir millionnaire par lui-même *sans avoir au préalable décidé de deux choses:*
1. Que le statut confortable de la richesse était précisément ce qu'il ou elle, désirait.
2. De le vouloir assez fort pour se mettre à faire quelque chose — même si le gain ne doit être que minime — chaque jour.

En repensant à la carrière des personnes riches de ma connaissance, je revois des douzaines d'hommes et de femmes qui ont commencé avec rien et qui maintenant possèdent beaucoup d'argent, de biens et ont fait de grands accomplissements. Ils ne sont peut-être pas tous millionnaires, mais ils se sont au moins gagné une bonne part de l'abondance terrestre — assez pour être indépendants financièrement et libres de toutes tensions dues au besoin et à la privation.

Il faut avant tout commencer maintenant, à cet instant, en déclarant «*je vais devenir millionnaire.*» Peut-être que vous ne deviendrez pas un magnat de la finance et alors? Par cette déclaration, vous vous êtes élevé au-dessus de l'ordinaire, au rang des gens aisés, car vous venez de vous déclarer un immense dividende qui est à vous et à vous seul. A partir de cet instant, il ne vous reste plus qu'à exploiter soigneusement la Loi de l'Accroissement, qui vous entraînera aussi loin que vous voudrez aller.

*Ne vous arrêtez pas pour compter*

A mesure que vos gains commencent à s'accumuler, vous devez apprendre à respecter l'une des premières restrictions: Ne prenez pas l'habitude terrible de compter vos gains ou vos accomplissements. Pendant les quelques minutes que vous perdez à «contempler le passé», vous auriez peut-être pu

27

apprendre un nouveau mot, prendre connaissance d'un fait nouveau ou exercer un talent nécessaire à votre programme d'accroissement. Il ne vous serait pas mauvais d'apprendre que la contemplation béate, c'est pour les oiseaux. Vous, n'en retirerez qu'un orgueil démesuré et vous êtes certainement assez fin pour savoir que l'égocentrisme produit exactement l'effet contraire d'un gyroscope — au lieu de maintenir le cap d'une personne, il tend à faire ballotter la barque de votre progrès, parfois même de façon très violente.

## Chaque chose en amène une autre

Une fois que vous avez décidé d'accroître régulièrement vos biens en puissance mentale et en richesses, l'étape suivante, en toute logique, est de développer votre préoccupation de l'argent. Ce que je vais vous dire vous paraîtra peut-être ridicule, mais chacun de nous, sans exception, est aussi riche qu'il pense l'être; il est donc indispensable que vous ouvriez cette porte de la préoccupation, pour permettre à l'abondance, quelle qu'elle soit, de se déverser dans votre expression vitale. Le prochain chapitre vous montrera à quel point il est facile de suivre cette prochaine étape.

## Résumé

1. La Loi naturelle de l'Accroissement peut être déclenchée par tout homme, femme ou enfant qui a la volonté et la capacité de s'engager dans la première étape.

2. Faites l'inventaire de vos atouts, tels que votre éducation, la valeur de votre expérience et vos possessions matérielles et ajoutez-y l'ingrédient précieux de la croissance positive et quotidienne.

3. Puisqu'il est évident que tout voyage de mille kilomètres commence par un seul premier pas, il est tout à fait naturel de dire que votre premier mouvement en avant vers votre but sera de posséder un fait ou un article, se rapportant à votre objectif.

4. Une fois que vous aurez déterminé votre cap et que vous aurez complété la première étape de votre progrès, vous devrez ajouter la puissance magique de l'accroissement quotidien

à votre accumulation croissante de talent, de connaissance et de richesse.

5. N'oubliez jamais que l'on ne peut pas échapper à l'inéluctable loi naturelle. Une personne doit aller de l'avant, sinon elle retombe dans la médiocrité, ou pire, dans la déchéance.

Dès cet instant, c'est à vous de faire ce choix en toute liberté et en toute aisance.

# Comment développer une préoccupation pour l'argent

C'est un fait établi de façon sûre et certaine : chacun de nous, sans exception, est aussi riche qu'il pense l'être. La pilule est très difficile à avaler, mais c'est une vérité à laquelle on ne peut pas échapper.

L'argent, tout comme l'eau, cherche son propre niveau ; mais cet exemple comporte une variable surprenante. Au sein de la libre économie, chacun décide du niveau d'argent qu'il veut posséder et ses poches ou son compte en banque se remplissent rapidement jusqu'à la ligne qu'il a tirée. Le seul problème de cette situation merveilleuse, c'est que l'argent ne se déverse pas aussi rapidement que l'eau : il faudra donc plusieurs semaines óu même plusieurs mois avant que la montée régulière du niveau de richesse devienne évidente. Mais *il passera* — grâce à la puissante réalité de la loi naturelle.

Vous vous heurtez maintenant à un problème: «Comment vais-je m'y prendre pour ouvrir les écluses qui permettront à l'argent que je désire de se déverser dans mon réservoir de liquide disponible?»

La réponse est si simple, qu'on se demande comment elle peut échapper à tant d'hommes et de femmes. Ça me fait penser à l'histoire de «La fortune à votre portée»[1] (parue sous le titre anglais de: Acres of Diamonds, par Russell H. Conwell) ou le conte moins connu de l'homme qui quitte sa maison des collines rocheuses du Colorado pour aller rejoindre dans l'Ouest les hordes de chercheurs d'or de 1849. Il rentra chez lui des années plus tard, écœuré et sans le sou, pour s'apercevoir qu'il avait toujours habité en plein sur l'un des dépôts minéraux les plus riches que l'on n'ait jamais découvert dans l'Ouest.

---

1. «La Fortune à votre portée» Les Éditions un Monde Différent Ltée.

C'est exactement ce que vous êtes en train de faire maintenant. Il vous suffit d'élever votre niveau de perception. Dans la pratique, ceci signifie qu'il vous faut apprendre à vous préoccuper plus de l'argent. Vous voyez, vous n'avez pas besoin d'être millionnaire — il vous suffit de *penser* en millionnaire —sans vous jeter dans les illusions stupides du jeu ou de toute autre méthode insensée pour s'enrichir d'un seul coup, mais en vous préoccupant d'argent «propre», acquis de façon correcte.

## Comment exploiter une «Attitude d'attente»

Commencez dès aujourd'hui à affirmer, avec persuasion et intensité: «j'ai maintenant tout l'argent que je désire. J'ai beaucoup d'argent en poche, dans mon compte en banque, ou disponible pour mon usage personnel.» Répétez, répétez et répétez cette déclaration avec persuasion, jusqu'à ce que la magie de la persuasion agisse et que vous ayez détourné le flot d'argent ou de crédit, vers vos coffres qui l'attendent. C'est cette attitude d'attente inlassable qui vous apportera un jour de grandes richesses.

Il est vraiment dommage que les banques, les compagnies d'assurance, les associations d'épargne et de prêt et, pire encore, les cours d'affaires bancaires dans les écoles, insistent tellement trop sur l'importance d'épargner pour des jours difficiles et ne parlent pas du tout de la puissante force de motivation que représente la préoccupation pour l'argent. Il est bien sûr que le sens de l'économie est un excellent trait de caractère à développer lors d'un accroissement, mais il ne permet certainement pas d'acquérir de grandes richesses.

Je suis bien d'accord que le sens de l'économie et un mode de vie sobre sauront créer de petites fortunes et qu'ils permettront même parfois, le temps et les circonstances aidant, à édifier de grandes fortunes en argent et en propriété, mais dans la sombre réalité, la préoccupation pour l'argent génère mille fois plus d'abondance, en esprit et en argent, que tous les plans d'épargne jamais élaborés.

Tout ceci semble bien contraire aux types de comportement à la mode aujourd'hui, mais qui au monde veut être conformiste?

Soyez riche en intelligence, en esprit et en argent, car ce n'est que grâce à ces qualités de votre personnalité et de vos possessions que vous pourrez vivre votre vie avec abondance.

Puisqu' « on reconnaît l'arbre à ses fruits » il serait bien juste que vous me demandiez « Quels effets cette idée lumineuse a-t-elle eus sur vous ? » Le fait est que j'ai été élevé dans une famille écossaise, où chaque tradition d'économie et de frugalité était considérée comme un mode de vie. Je vous avouerai franchement qu'il m'a fallu plus d'un quart de siècle pour m'arracher des liens de mon éducation austère et inflexible, mais notre pasteur a émis un jour, par hasard, une remarque qui a laissé pénétrer un faible rayon de lumière; depuis lors, j'ai cherché de toutes mes forces à m'en sortir et ai atteint des résultats presque extraordinaires.

### Comment développer votre perception de l'argent

Et maintenant vous voudrez savoir « Comment puis-je développer une perception de l'argent? » Chaque individu part d'un niveau différent de conscience financière; le problème variera donc selon la personne. Pour parler encore plus franchement, aucun slogan, aucune règle générale ne pourra s'appliquer à tous et chacun. Cependant, les cinq principes qui suivent sont si puissants qu'ils dégagent un vif rayon de lumière:

1. Développez une curiosité insatiable.
2. Développez chaque jour votre richesse et la puissance de votre esprit.
3. Ne cessez pas d'affirmer avec beaucoup de persuasion la déclaration présentée dans la première partie de ces conseils pour acquérir la richesse: « je suis maintenant en possession de tout l'argent que je veux... »
4. Lisez de bons livres traitant plus ou moins spécifiquement du domaine dont vous vous occupez.
5. Accumulez graduellement un compte en banque de relations.

Comme nous allons examiner en profondeur chacune de ces suggestions dans les chapitres qui suivent, je me contenterai de dire que nous allons maintenant examiner le principe de développement de la curiosité d'une manière non seulement surprenante, mais provocatrice et que, de plus, les idées en action peuvent ouvrir pour vous un tout nouveau mode de vie.

*Comment viser une cible*

La seconde étape permettant de penser en termes d'abondance est essentielle; mais elle se compose de tellement de pistes évidentes, qu'il a fallu des mois de recherches intenses pour découvrir la route la plus utile et la plus facile à suivre. Tout d'abord, pour que la vision soit claire et sûre, la curiosité doit être bien sélective. Ce besoin de recueillir de l'information comporte malheureusement aussi bien une direction négative qu'une direction positive. L'une rapporte un succès extraordinaire, alors que l'autre vous emmène très loin, tout au fond de l'indiscrétion et de la frustration, car on n'apprend pas beaucoup en s'occupant des affaires des autres.

*Comment exploiter le plan d'accroissement en dix étapes*

Puisque nous ne voulons traiter que des aspects positifs de notre programme d'accroissement, nous vous présentons un plan d'accroissement régulier en dix étapes.

Après avoir fixé une curiosité pratique et bien ordonnée sur un objectif, vous ne pourrez vous empêcher d'avancer et ce, toujours plus rapidement. Le secret, s'il y en a un, c'est de diriger votre attention sur un seul intérêt intense, une seule forte intention, un seul but accessible à la fois.

*Aidez-vous d'un cahier*

La plupart des gens qui s'intéressent fortement à un sujet ou à une activité rédigent un cahier ou au moins un dossier contenant tous les renseignements qui s'y rapportent, prêts à toute consultation ultérieure. Cette habitude est la pierre angulaire de l'accroissement en toute activité, mais le premier pas vers une plus grande préoccupation de l'argent, c'est de fixer à un niveau de préoccupation un ascenseur hydraulique. Cette habitude d'accroissement quotidien génère automatiquement l'expansion uniforme et équilibrée de l'horizon mental que vous recherchez.

Après avoir déterminé, au-delà de toutes réserves, le sujet, le commerce, la profession ou l'objectif que nous allons poursuivre, et nous être lancés dans le développement incessant d'une préoccupation pour l'argent, nous allons incorporer à notre plan d'action un programme qui l'équilibrera.

*Plan réaliste en dix étapes assurant l'accroissement*

1. Votre première action, qui augmentera à coup sûr votre niveau de conscience qui comprend la préoccupation pour l'argent, sera de jeter un regard enthousiaste et concentré sur l'un des côtés pratiques, n'importe lequel, de votre objectif.

2. Mettez-vous à rassembler toute l'information disponible sur ce qui se rapporte à votre domaine d'intérêt et placez ce que vous avez appris dans un plan d'accroissement bien ordonné.

3. Acceptez le fait que, pour augmenter vos possessions ou vos atouts, vous devez penser grand pour devenir grand —en gardant cependant toujours «les pieds sur terre.»

4. Répétez, répétez, répétez la suggestion de la première étape: «j'ai maintenant tout l'argent dont j'ai besoin en poche, dans mon compte en banque ou disponible pour mes projets à venir.» Cette suggestion pourra vous sembler complètement idiote, surtout au début, mais je vous défie de l'essayer pendant un an.

5. Ne vous octroyez jamais, jamais, jamais au grand *jamais* le luxe de penser ou de dire: «je ne peux pas me le permettre.» Il est bien plus positif et stimulant de dire: «en temps voulu, j'aurai ce que je veux.» Lorsque vous réaffirmerez ceci constamment, votre préoccupation de l'argent grandira comme par miracle.

6. Apprenez à considérer l'argent comme une denrée composée d'un certain nombre de pièces de métal et de papier — comme un instrument servant à atteindre un objectif — et non comme l'objectif lui-même servant à votre but.

7. Ne vous contentez jamais des étapes que vous avez suivies. La raison en est toute simple. Chaque fois que vous arrêtez de faire un pas en avant, votre montée vers les hauts plateaux de l'accomplissement s'en trouve retardée. Souvenez-vous toujours que même un seul petit sou ou un seul renseignement par jour vous apportera un jour une récompense illimitée.

8. Maintenant que vous avez acquis la base de ce qui vous permettra de bien développer votre préoccupation pour l'argent, il est temps que vous appreniez certains principes d'équilibre qui complèteront tous vos objectifs d'une perception sûre et claire. Ces qualités spéciales se regroupent sous le terme plus général d'«arrière-plan». Cet arrière-plan de personnalité est comme un large écran sur lequel jouent tous vos traits de caractère, vos atouts spéciaux, votre habileté, vos talents et votre réserve de connaissances spéciales et grâce auxquels vos contemporains pourront vous condidérer comme un individu efficace.

9. La neuvième étape de notre programme se compose de neuf sous-titres qui vous aideront à édifier votre «arrière-plan». Vous ne pourrez pas utiliser toutes ces «rampes de lancement» en une seule journée, mais vous pourrez toutes les exploiter en temps voulu; elles vous serviront plutôt de pause entre les différentes étapes de votre plan régulier de développement;

a. Voyagez.

b. Assistez à des pièces de théâtre.

c. Prenez une soirée de congé pour vous détendre à l'opéra ou au concert.

d. Apprenez à lire et à écrire couramment une langue étrangère.

e. Lisez un bon roman ou un livre culturel profitable.

f. Assistez à différentes joutes sportives.

g. Sortez en société, discrètement et dans un but précis.

h. Participez activement, mais de façon restreinte, aux affaires de la communauté.

i. Assistez à des conférences de qualité où l'on discute de sujets sérieux.

Cette liste sera la rampe de lancement à partir de laquelle toute carrière peut être projetée dans les hautes sphères de la préoccupation pour l'argent. Vous remarquerez cependant que ces valeurs culturelles ont été ajoutées à la fin du programme et non en temps que prélude à un plan d'accroissement systématique.

10. Apprenez à vous intéresser sincèrement aux valeurs suivantes:

a. Préoccupez-vous de façon adéquate des affaires sociales et gouvermentales

b. Etablissez un vaste programme couvrant le domaine des affaires et/ou de l'industrie

c. Apprenez tout ce que vous pouvez sur les affaires bancaires et financières, à tous les niveaux.

d. Assurez-vous que l'on vous informe sur toutes les possibilités d'éducation et les projets de recherche touchant plus ou moins spécifiquement à votre occupation

e. Cherchez et profitez de toutes les occasions que vous pouvez de visiter les fabriques de l'une de ces activités et essayez, quand vous le pourrez, d'obtenir une entrevue avec le directeur *si* vous avez une question intelligente à lui poser.

*La fable du petit gland*

La plupart d'entre nous se rapellent du vieux proverbe « Les grands chênes naissent de tous petits glands »; mais le proverbe ne mentionne pas le fait que pour accomplir cette croissance solide, il a souvent fallu plusieurs générations. En contemplant de loin toutes les circonstances de l'accroissement, on comprend vite pourquoi il vous est recommandé d'accumuler au moins un petit sou par jour.

En réalité, ça se résume à ceci: il s'agit en fait d'établir un plan général d'accroissement. Et en fait, vous n'injectez pas, dans l'entreprise de votre choix, un certain montant de capital économisé ou utilisé, mais la puissance de l'imagination additive. Heureusement, cet ingrédient spécial est gratuit — prêt instantanément et n'attendant que le moment où vous l'exploiterez.

Je suppose que maintenant tout le monde ici a entendu parler du Colonel Sanders et de sa recette de poulet frit à la Kentucky. L'éclair de créativité n'a frappé cette personne qu'à l'âge de soixante-cinq ans, âge de la retraite ; mais il a réussi, avec son premier chèque de $104 de la Sécurité Sociale, à édifier à travers tout le pays un empire de comptoirs de vente de poulets à concession. Il a pris à nouveau sa retraite, dix ans plus tard, avec une fortune de plusieurs millions de dollars.

*Comment utiliser la puissance explosive de la plus-value*

Lorsqu'un homme ou une femme pense en millionnaire, il ou elle, utilise un vieux précepte ou formule d'économie, en espérant déclencher une augmentation soudaine et irrésistible. La théorie de base est la suivante : une idée, plus de l'imagination, plus un nombre X de dollars égalent : un succès extraordinaire — à condition bien sûr que vos plans soient à la tête de la tendance progressive des besoins humains. En principe, l'application de cette règle mécanique est entravée par la présence d'inconnues — les autres x et y qui réussissent à embrouiller les projets les mieux organisés. Ceci provient du fait que la plupart des gens ne connaissent pas tous les effets secondaires des démêlés auxquels ils doivent faire face.

C'est précisément dans ce but que nous exposons clairement les quelques rudiments de la croissance rapide, que vous pouvez utiliser immédiatement en quinze étapes. Aucune de ces parties ne peut être contournée ou omise. Chacune doit absolument être développée au sein d'un plan intégré; sinon, tout le système va s'écrouler.

*Comment utiliser trois nouveaux stimulants de la perception de l'argent.*

Il y a plusieurs façons d'augmenter la perception de l'argent, et nous vous en avons déjà présenté quelques-unes. Mais il existe trois stimulants des plus efficaces, qui créent des potentiels avec une puissance incroyable, mais qui ne sont pas toujours considérés favorablement. On peut peut-être expliquer cette attitude réservée par le fait que l'art d'apprendre est souvent identifié aux programmes parfois arides que des administrateurs d'écoles sans imagination imposent à des étudiants malchanceux.

C'est vraiment très malheureux. Il est un fait indiscutable: on apprend toute sa vie. Il est désespérant d'assister à la détérioration mentale de bons étudiants, dont certains sont diplômés universitaires, certains même possèdent des diplômes de spécialisation dans divers domaines, uniquement parce qu'on a laissé le niveau de préoccupation se désagréger par l'absence d'un programme d'alimentation mentale qui suscite un certain défi.

Soit que le degré de connaissance se développe, soit qu'il rétrograde : tout dépend du régime d'information dont on le nourrit, mais le fait étonnant que la plupart des gens ont de la peine à comprendre, c'est que la préoccupation pour l'argent est un trait de caractère spécial que *vous seul* pouvez activer et rendre efficace.

Pour éviter que notre héritage naturel de capacité de croissance, d'expansion et d'accroissement de nos possessions — autant mentales que matérielles — ne diminue, il est très important que nous sachions que nous devrions consacrer, dans notre programme de développement, une place importante à ces trois objectifs fondamentaux:

1. La faculté de parler de façon intelligente à n'importe quel groupe de personnes. Et vous l'atteindrez facilement en vous joignant au club d'annonceurs de « *toast* » le plus proche — non pas pour apprendre à parler comme un orateur chevronné, mais simplement pour élargir votre point de vue en ajustant votre façon de penser d'une manière amicale et coopératrice, à celle d'autres personnes. C'est l'une des quelques formes de friction positive que je connaisse et qui tend fortement à développer la puissance de l'esprit.

2. Intéressez-vous, d'une façon agressive, à un passe-temps pratique. Ce type d'activité peut introduire un très haut voltage à l'ingrédient précieux qu'est l'intérêt. Il est important de choisir un passe-temps ayant un côté pratique, car il vous introduira très gentiment dans le troisième et dernier programme de stimulation.

3. Un projet d'études. Cette activité peut s'avérer extrêmement valable, surtout si elle vous permet de manipuler les outils, les instruments, les matériaux, la végétation, les animaux, ou les minéraux, qui se rapportent à votre passe-temps.

*Pourquoi les biens n'amènent pas le bonheur,*
*mais le bonheur amène les biens*

Il est absolument certain que le bonheur représente un niveau très élevé de conscience, mais il y a un «*joker*» dans le paquet. Il faudra raffermir ce voile ténu par une puissante affirmation du bien — non seulement pour vous-même, mais pour toutes les personnes avec lesquelles vous vous associerez. Qu'est-ce que le bonheur a à voir avec la préoccupation de l'argent? La réponse est en réalité bien simple. Sans la forte étincelle de joie qui anime le processus de la vie quotidienne, il ne sera que trop facile de retirer le bouchon de toute cette entreprise que vous représentez; et c'est ainsi que l'on peut vider en quelques heures tout un niveau de conscience patiemment édifié, à moins de retenir la digue d'une main solide. Cette dernière se manifestera sous forme de déclarations absolues d'attente d'accroissement et qui seront raffermies par une attitude d'attente que nous vous exposerons dans la quatrième étape. Nous mentionnons ce danger, parce que les ingrédients permettant de créer un niveau de conscience vibrant sont très fragiles et souvent volatiles, surtout durant les années de formation.

Il est évident que les choses que vous acquerrez ne seront pas toujours matérielles, mais une chose est certaine ; ce que vous acquerrez ne vaudra rien du tout si vous n'êtes pas capable de l'accepter avec joie, en sachant parfaitement que ce que vous avez en main n'est qu'un prêt de la puissance qui vous a octroyé le droit de vous en servir.

*De l'argent, de l'argent, de l'argent*

Au début de mes recherches sur les vastes puissances de l'esprit, j'ai rencontré brièvement une jeune femme —victime d'un mariage précoce, qui se retrouvait seule et qui possédait en tout et pour tout, les vêtements qu'elle portait sur le dos et un capital liquide de soixante dollars. En me racontant ses expériences, elle me dit que, plus d'une fois, elle avait fait du mot «argent» son mot d'ordre, tellement elle était décidée à ne jamais se retrouver sans un sou. Elle a répété si souvent le mot «argent» qu'il a fait partie de sa conscience. Elle n'en a pas perdu son équilibre mental.

Cette forte affirmation du mot «argent» lui a bientôt attiré un flot de fonds qui augmentait régulièrement; mais elle a découvert aussi que d'autres forces, tout aussi stimulantes, l'aidaient à se rapprocher de son but. A cette époque, je lui ai suggéré, plus en plaisantant qu'autre chose, quelques-unes des méthodes que je vous propose aujourd'hui d'exploiter — mais cette femme avait une telle soif de façons et de méthodes qu'elle a pris mes idées au sérieux; elle a fait si bien qu'elle se retrouve maintenant non seulement au sommet de sa carrière, mais également indépendante financièrement.

J'ai un autre exemple : celui du jeune homme dont la santé et l'esprit declinaient et presque sans le sou, qui contemplait un petit morceau d'algue sèche, dans un petit village perdu de pêcheurs japonnais, avec un immense intérêt. Il avait entendu parler, à Tokyo, de la longévité des hommes et des femmes qui vivaient dans cet endroit isolé. En entendant ces faits, il avait déclaré : « Ce produit me rapportera un jour des millions de dollars. » C'est sur cette forte affirmation stimulante qu'a été fondée la compagnie géante, d'un capital de plusieurs millions de dollars, qui roule avec succès depuis cinquante ans sous le nom de Organic Sea Food Corporation, à San Francisco.

### Vous pouvez commencer à accumuler dès aujourd'hui

Toute grande fortune commence par une préoccupation de l'argent. Et vous pouvez dès maintenant faire monter cette conscience au niveau que vous désirez. Pour animer cette force de montée irrésistible, il vous suffit de déclarer avec intensité : « maintenant, je plante dans ma conscience la graine d'une grande fortune », et de construire dès aujourd'hui votre base avec les blocs de construction que nous vous avons présentés.

Maintenant que vous avez élevé le niveau de votre conscience de façon à ce qu'il contienne une réserve abondante d'argent, engagez-vous dans l'étape suivante: celle qui vous met au pas avec la chance — est une force que vous vous devez de reconnaître, pour atteindre le maximum de votre potentiel. Pour bénéficier au maximum de cette partie de la loi naturelle, il vous faut reconnaître le flux et le reflux de l'avantage; vous pourrez ainsi vous lancer à pleine vitesse lorsque le rythme de l'attraction battra son plein.

La prochaine étape de croissance vous exposera bien en détails toutes les techniques positives dont vous aurez besoin.

*Résumé*

1. Il est maintenant établi de façon sûre que chaque homme, femme et enfant décide de son propre niveau de souci de l'argent ou de succès. 2. Ce niveau de souci de l'argent ou d'accomplissement peut être accroché à la plus haute montagne du succès; il vous suffit de le désirer. 3. Pour commencer à grimper vers la richesse, il suffit de déclarer très sérieusement, «j'ai maintenant tout l'argent que je veux en poche, dans mon compte de banque ou à ma disposition,» et allez de l'avant, pour réaliser cette puissante déclaration, sans jamais regarder en arrière. 4. Vous pouvez édifier une base extrêmement forte, juste en animant les dix stimulants de la conscience, puis en soutenant leur poussée verticale avec les trois propulseurs de la deuxième étape. 5. Vous pouvez dès maintenant commencer à créer une grande fortune, mais vous êtes le seul à pouvoir planter la graine et fournir les éléments nutritifs de la croissance.

# Comment déclencher le cycle du succès

Aussi étrange que cela puisse paraître, même la qualité apparemment insaisissable du succès a un rythme de reflux. Tout comme la musique qui «tourne et retourne» — ou comme le rotor du compteur d'électricité toupille lorsque la lumière est allumée, la baguette magique du succès nous touche tous, en passant, à différents intervalles de temps. En s'engageant dans sa carrière professionnelle, Lincoln a déclaré : «Je vais me préparer, et un jour, la chance me touchera.» Shakespeare a exprimé la même idée dans le monologue de Brutus dans *Julius Caesar* :

*Il y a une marée dans les affaires des hommes,*
*Qui, lorsqu'on s'accroche à son flux, mène à la fortune ;*
*S'ils ne le font pas, tout au long de leurs vies*
*Ils voyagent dans les bas-fonds et les misères.*

Par conséquent, pour apprendre à penser en millionaire, il est avant tout indispensable de décider, de façon ferme et déterminée, de devenir un expert exceptionnel en *quelque chose* — mais que l'activité sur laquelle vous vous concentrez soit ancienne, nouvelle ou jamais vue, vous devez décider, avec toute votre volonté, d'apprendre et d'assimiler tout ce qu'il y a à savoir sur le sujet que vous avez choisi.

Cet intérêt unique, intensément concentré, dans n'importe quel domaine d'activité, a toujours rapporté une richesse d'esprit illimitée, une immense fortune, ainsi qu'un record d'accomplissement très remarqué par les contemporains.

*Comment exploiter la curiosité sélective*

Deux mots décrivent parfaitement le potentiel du millionnaire: *curiosité sélective.*

Il est important de savoir distinguer entre le simple trait de l'indiscrétion et la caractéristique puissante et hautement stimulante de la quête fortement motivée de connaissance d'un domaine d'activité spécialisé. Cette tendance à l'exploration, l'étude, la comparaison, la recherche et l'investigation de chaque phase d'une activité donnée, est la qualité essentielle qui différencie les hommes des rêveurs, dans la quête de succès, d'accomplissement et de grandes richesses.

Ce besoin pressant de savoir, tel qu'exprimé dans les carrières d'hommes et de femmes qui ont su atteindre le succès, couvre n'importe quel domaine d'activité, comme la vente, les affaires, le commerce et même les professions exigeant une longue préparation fastidieuse. J'aime à raconter l'histoire du concierge d'une grande école de médecine de l'est des Etats-Unis, qui nourissait en lui-même la soif insatiable de connaître tout ce qu'on peut savoir sur la guérison des malades. Poursuivant cet objectif ultime, cet homme se mit à ramasser, dans toutes les salles de classe de l'édifice qu'on lui avait confié, les livres que les étudiants avaient abandonnés. La nuit, dans sa chambre solitaire du sous-sol de la résidence, le bonhomme lisait et étudiait sans s'arrêter — jusqu'au jour où on le reconnut publiquement, dans cette même université, comme l'un des meilleurs diagnostiqueurs de son temps — même s'il ne possédait aucun diplôme officiel en médecine.

Une autre fois, j'ai connu un type qui brûlait d'envie, au point d'en être obsédé, de posséder sa propre imprimerie. Pour commencer, l'homme ne connaissait à peu près rien dans ce domaine, mais il était doté d'un trait de caractère des plus précieux — la curiosité sélective. Grâce à son maigre salaire de journalier au service de l'expédition d'une compagnie de transport, il s'est mis à lire tout ce qu'il pouvait attraper ayant rapport à ce domaine. Petit sou par petit sou, il a réussi un jour à s'acheter une petite presse manuelle, quelques meubles servant à comprimer et à retenir les caractères dans un espace limité et un ensemble de vieux caractères. Sur ce début apparemment lugubre, le type s'est mis à accumuler d'autres articles pour son art, jusqu'au jour où il a pu faire le grand saut et ouvrir sa propre petite imprimerie. Aujourd'hui, cet individu empreint de détermination est propriétaire à part entière d'une grande imprimerie florissante de succès.

Chaque tournant de la vie offre d'innombrables histoires de réussite de ce genre. *Il peut vous arriver la même chose à vous* —mais vous êtes la seule personne au monde capable d'attirer ce cycle du succès et sa baguette magique vers vous et vers vos entreprises.

*Suivez ces cinq étapes, et vous voilà parti!*

1. Prenez la résolution d'augmenter votre potentiel de richesse chaque jour même si vous ne pouvez ajouter qu'un petit sou à votre compte capital. En agissant ainsi, pensez que vous le faites dans le but d'établir un plan d'accroissement quotidien.

2. Décidez d'élever votre niveau de souci de l'argent à un million de dollars — et apprenez à maintenir votre comportement orienté vers ce haut plateau d'accomplissement.

3. Considérez également le vaste champ des intérêts humains et déterminez exactement la base de votre développement — un animal, des aliments, des fleurs, un service, un commerce, une profession ou un appareil. De quelque nature qu'elle soit, la base que vous choisirez représentera votre billet direct, aller simple, vers ce que vous voulez accomplir.

4. Prenez la résolution de suivre les plans d'accroissement tels que décrits dans les quinze étapes montrant comment penser en millionnaire et précisément dans l'ordre où ils vous sont présentés.

5. Développez votre propre plan d'accroissement. En bref, il s'agit pour vous d'introduire dans votre propre plan de progrès personnel la liste d'accomplissements que vous voulez atteindre pour arriver à vos fins — tout en comprenant parfaitement qu'un grand suscès dépend de la loi de l'accomplissement mineur. En termes pratiques, ceci signifie que l'on ne peut atteindre les cimes d'un accomplissement parfait qu'en accumulant des centaines de petits succès.

Dès que vous êtes bien lancé sur la route de l'accroissement, vous pouvez vous rendre aussi loin que vous le désirez: aucune limite ne vous arrêtera. Vous n'avez qu'à décider de l'objectif: le petit train du succès se mettra alors en mouvement sans vous résister.

*Un homme est parti d'une poignée de grains de blé du Montana*

Au début de notre siècle, Thomas Donald Campbell, petit propriétaire de bétail, contemplait quelques plaines décharnées de blé en train de mûrir. Ce qu'il voyait ne lui plaisait pas ; alors il a décidé d'y faire quelque chose. Il s'est mis à appliquer les méthodes modernes de l'agriculture pour obtenir de meilleures récoltes et un blé de meilleure qualité. Il devait bientôt faire face à la nécessité d'appliquer les dernières techniques de la mécanisation à l'exploitation de sa ferme. Il a réussi une multitude d'accomplissements et les résultats de l'intérêt sincère qu'il a porté à quelques grains de blé sont passés à l'histoire.

Peu avant sa mort, il n'y a pas très longtemps, Campbell exploitait une terre de 95 000 acres dans le Montana et dirigeait l'exploitation d'une propriété d'à peu près un demi-million d'acres au Nouveau-Mexique. Pour ses accomplissements, il a été surnommé dans tout le pays « Le Roi du Blé Américain ». Tout ceci grâce à la forte curiosité sélective qu'il a ressentie un jour pour l'ingrédient de base de la miche de pain — besoin humain qui domine depuis la nuit des temps.

Avant d'en arriver là, il a dû atteindre d'innombrables succès mineurs ; mais il a atteint le sommet de son accroissement quand plus d'une douzaine de gouvernements étrangers, dont la Russie, l'Angleterre et la France, ont reconnu son génie et lui ont demandé d'aller aider au développement de millions d'acres de terre agricole, auxquels il a appliqué les principes de gestion des sols, de l'assolement et de la mécanisation.

*Comment vous engager dans le plein rythme du succès*

Je suppose que la première chose que vous allez penser, c'est : « Ça va être tout un travail. » Mais en réalité, le billet qui vous permet de vous engager dans le plein rythme du succès est si proche et si évident, que beaucoup trop de gens passent chaque jour à côté de douzaines d'occasions de s'enrichir, sans les voir. De nouveau, il vous suffit juste de concentrer votre attention sur n'importe quelle chose qui déclenche votre intérêt et puis d'y appliquer le système d'évaluation en trois étapes, proposé dans les prochains paragraphes.

Vous devrez peut-être étudier un peu pour trouver la bonne réponse, mais les récompenses sont si extraordinaires, que l'effort minime qui vous sera demandé est de peu d'importance.

*Système d'évaluation en trois étapes*

1. Avez-vous choisi une chose pratique? Autrement dit, suit-elle ou précède-t-elle un peu les tendances actuelles de l'intérêt humain? En choisissant une idée, un produit, un service ou un appareil qui se trouve très en avance sur l'acceptation générale, vous vous imposez un fardeau impossible de problèmes de vente et de distribution, tout en vous créant tout un handicap: d'énormes dépenses de publicité. Assurez-vous que votre idée est presque sur le point de se trouver au sommet de la demande populaire. La cinquième étape vous expliquera dans tous les détails comment vous y prendre de façon efficace.

2. La chose que vous avez choisie concerne-t-elle un besoin humain de base? Le public des acheteurs ne sait peut-être pas qu'il a besoin, de votre produit ou de votre idée; mais un test peut souvent en révéler la réponse. Lorsque vous serez arrivé à la cinquième étape, servez-vous de toutes les techniques qui vous y sont expliquées.

3. Quel est le potentiel de croissance ou de profit du produit, de l'appareil, du service ou de l'idée qui génère votre intérêt? Cette question devrait être complétée par une seconde . Votre idée aura-t-elle tout de suite du succès ou vous faudra-t-il pour cela des années de dur labeur?

Au fond, le défi est le suivant: « Est-ce que ce à quoi je pense est mieux, plus grand et plus beau? Est-ce qu'il aura des chances de m'apporter plus de revenus ou de m'assurer une vie plus facile? »

Pourquoi se poser tant de questions? Par exemple, dans l'industrie de l'alimentation et de l'épicerie seulement, l'année dernière, plus de 2500 nouveaux produits ont été proposés aux consommateurs... mais plus de mille de ces articles ont dû être abandonnés, pour la bonne et simple raison que les ménagères ne les ont pas adoptés. Malheureusement, la plupart de ces articles avaient été lancés par des firmes ou par des gens qui s'étaient jetés tête première dans une production massive du produit juste parce qu'il leur plaisait à eux. Donc, autrement dit, lorsque vous penserez vraiment en millionnaire, vous aurez appris avant tout à évaluer correctement.

Vous pourriez dire avec raison que quoi que vous choisissiez, cela vous entraînera en plein dans le rythme du cycle du succès, mais regardons la chose d'un peu plus près.

*Attrapez ce qui vous semble valable*

La première fois que j'ai exposé la théorie de «tout fonctionne» dans une conférence que je donnais au Berverly Hills Kiwanis Club, j'ai vu tous les sourcils des grands hommes d'affaires et des professionnels de l'audience se lever bien haut sur leurs fronts; mais ce jour-là, deux hommes ne riaient pas. L'un était directeur d'une petite agence de placement et l'autre était poète de style très personnel. Aujourd'hui, le premier est président d'un service de placement possédant des succursales presque partout dans le pays et dont le revenu quotidien augmente de manière fantastique. Le second est venu me parler après la conférence, et m'a dit entre autre: «Je veux être sacré 'Poet Laureate of California'. Pensez-vous que j'y arriverai?» Je lui ai répondu: «Si vous en avez le talent, oui.» L'homme m'a regardé droit dans les yeux et a répliqué: «Je crois que je l'ai».

Cinq ans plus tard, presque jour pour jour, cette personne déterminée m'a envoyé un télégramme du «State Capitol» de Sacramento, qui disait: «Approuvé à l'unanimité par le Comité. Attends la décision finale de l'assemblée.» Et c'est ainsi que le 10 juin 1953, Gordon W. Norris a été sacré quatrième 'Poet Laureate of California' lors d'une session conjointe de la législature — tout simplement parce qu'il croyait tellement fort en lui-même, qu'il n'a jamais abandonné.

Une autre fois, je déjeunais avec une vedette de cinéma aspirante, aux «Universal Studios» à Hollywood. La jeune fille, jeune et jolie, parlait avec un accent antillais très prononcé; elle était très ambitieuse et savait que pour devenir une étoile dans une ville qui regorgeait de belles femmes, il lui fallait plus que la beauté. Et elle l'avait — l'idée originale. Elle me dit: «Je crois que les gens de tous les âges aiment les contes de fées. Je veux faire quelque chose comme 'Les mille et une nuits.'»

A cette époque, je méprisais un peu l'idée, mais il lui a fallu moins de deux ans pour m'en remontrer. Lorsque le film «Les mille et une nuits» a été présenté à la presse, Maria Montez n'a pu s'empêcher de m'envoyer un petit coup d'oeil espiègle en sortant du théâtre. A partir de cet instant, chaque fois que l'on m'expose une idée exceptionnelle, je ravale sagement mes commentaires.

## «Chiens» se transforme en Bonanza

Il y a bien longtemps, en 1919, un chemisier du nom de Walter Nordlinger a révolutionné le monde de la mise en marché. Ceci se passait à Washington, D.C., un peu après la Première guerre mondiale, alors que le commerce se trouvait dans une situation peu enviable. Nordlinger avait un problème. La couleur de quelques-unes de ses chemises haute couture était devenue fade pour avoir passé trop de temps dans la vitrine. Comme plus personne ne voulait les acheter au prix qu'il demandait, le commerçant leur a épinglé une étiquette de vente rapide de 50 cents et ce jour-là naquit toute une tradition.

Depuis cet événement un peu malheureux, les consommateurs habitant à des kilomètres à la ronde attendent avec impatience les énormes ventes de l'Anniversaire de Washington, parce que maintenant tous les commerçants se joignent à l'événement. Si l'on désire se débarrasser de quantités industrielles d'articles restants de tous genres, il suffit d'y coller un prix. Au début, le bureau d'Ethique Commerciale a considéré la situation d'un mauvais oeil, mais le temps et le succès ont vite adouci cette opposition, bien que le Bureau admette que certains marchands profitent de l'atmosphère d'achat des clients enthousiastes pour se débarrasser d'articles de pacotille.

Et pourtant, les plaintes sont rares. La plupart des gens savent qu'ils n'en ont que pour leur argent — et la copie d'un manteau vendue pour dix dollars ressemble assez à l'original coûtant $125.00.

*Même une rose peut vous enrichir*

Peu de gens savent que si vous réussissez à créer un nouveau type de rose, le United States Patent Office consacrera une bourse spéciale à la protection de votre produit de l'horticulture, pour une période de dix-sept ans. Ce n'est pas tout. Si vous baptisez votre rose d'un nom inhabituel ou exotique ou si vous lui donnez le nom d'une personnalité réputée, vous pouvez enregistrer le titre de votre création, protégeant ainsi pour toujours votre idée.

Avec les années, la liste de noms de roses inscrits dans le International Rose Register s'est régulièrement allongée, jusqu'au total actuel de près de dix mille variétés. Tout un accomplissement, pour une simple fleur.

*Tout fonctionne*

Si je vous cite ces quelques idées bien ordinaires, c'est tout simplement pour vous montrer que tout fonctionne. Tous les articles de la vie quotidienne, sans exception, contiennent les éléments d'une grande fortune. Il vous suffit de penser plus loin que l'évidence. Vous pouvez commencer à vous lancer dans l'aventure en vous posant quelques questions simples sur l'idée, le produit ou l'appareil auquel vous pensez, telles que:

1. Est-ce qu'il serait bon de lui trouver un nom qui suscite l'intérêt?

2. Cet article cache-t-il quelque utilisation nouvelle ou différente?

3. Cette idée pourrait-elle être adaptée pour être utilisée dans un autre domaine?

Dans les conférences sur mon sujet favori, l'innovation, que je donne aux clubs et aux groupes civiques, j'aime mettre l'accent sur ces points. Bien sûr, les auditeurs acceptent souvent ce défi. Dans leurs questions, les auditeurs mentionnent souvent leurs produits ou leurs services. Plus d'une fois, lors de ces transports inadéquats et impromptus, quelques personnes ont commenté: « Eh bien, en voilà des nouvelles! »

D'autres fois, un auditeur me tend un produit ordinaire en demandant: « Que pouvez-vous faire de ça? » Au cours d'une période de questions-réponses, un homme m'a tendu un petit clou. Cet article est au plus bas de l'échelle des choses terre à terre puisque c'est l'une des premières inventions humaines ; mais soudain, j'ai été saisi d'inspiration. « Que penseriez-vous, » lui ai-je demandé, « d'un clou qui pourrait faire telle ou telle chose ? »

« Monsieur, » a répliqué le bonhomme, « si vous y arrivez, notre firme à elle seule vous rendra millionnaire. » Aujourd'hui encore, je ne sais pas comment ça va finir, mais je concentre actuellement les douze puissances de mon esprit à résoudre le problème. Je suis persuadé que c'est faisable.

## Comment reconnaître un « dormeur »

L'homme ou la femme qui pense constamment comme un millionnaire s'habitue à faire trois choses:

1. Il regarde au-delà de l'évidence, même pour les choses ordinaires.

2. Il apprend à évaluer chaque item au-delà de son apparence et de son utilisation ordinaires.

3. Il apprend à lever les yeux. C'est-à-dire qu'il regarde au-dessus de tous les débouchés ordinaires de l'item, puis il laisse sa conscience de l'argent chercher haut et loin des sources d'intérêt nouvelles et peut-être complètement différentes.

## Les signaux routiers lui ont fait signe

Mon sous-titre a l'air idiot? Attendez d'avoir lu toute l'histoire! Pourtant, c'est bien ce qui semble être arrivé à Libby O'Brien. Cela a commencé d'une façon si ennuyeuse, que la chère madame a failli passer à côté d'une immense fortune.

Un jour, en rentrant à la maison, à Old Greenwich, Connecticut, Miss O'Brien a aperçu, en lançant par hasard un regard par la fenêtre du train de New Haven une immense pile de vieux panneaux de signalisation dans un terrain vague du Bronx. Depuis environ cinquante ans, la ville de New York avait indiqué les intersections par de gros panneaux de fer bleus marqués de grosses lettres blanches. Mais l'année précédente, vers la fin de l'automne, la ville s'était mise à remplacer les anciens panneaux par de petits signaux jaunes à lettres noires; on avait donc dû jeter les anciens signaux. C'est ainsi qu'ils se trouvaient dans ce terrain vague. La pile grandit, grandit, jusqu'à attirer l'attention de la dame si vive d'esprit.

Tôt le lendemain, Libby O'Brien a commencé ses recherches. La dame fut promptement dirigée vers le département du trafic de la ville. Quand elle a demandé « Est-ce que les signaux sont à vendre ? » on lui a rétorqué « Pourquoi pas ? Faites-nous un prix ». Alors elle s'est exécutée. Elle a lancé le premier chiffre qui lui passait par la tête, $478.00 — probablement parce que c'était le montant qu'elle avait accumulé dans son bocal à biscuits. De toute façon, on a accepté son prix, surtout parce que personne d'autre ne semblait s'y intéresser. Une fois en possession des signaux, elle se trouvait face à un problème de déménagement et de mise en marché. La ville lui avait donné trente jours pour débarrasser la « ferraille ».

La petite dame a résolu le problème avec beaucoup d'imagination. Elle est allée parader dans « Grand Central Station » avec son attirail et s'en est trouvée des plus gratifiée. Sa pile de 10,000 vieux signaux s'est mise à disparaître pour des prix s'étendant entre dix et cinquante dollars. Pas mal, pour un coup d'oeil rapide par la fenêtre d'un train.

*Et puis il y a l'« espace »*

Avec les milliers de morceaux de quincaillerie qui flottent « là-haut », quelqu'un va bien arriver, un de ces jours, en y réfléchissant fort, à une idée révolutionnaire qui en fera un millionnaire du jour au lendemain. D'autant plus qu'on envoie chaque jour plus de ferraille en orbite. La réutilisation de ces monstruosités flottantes n'est pas la seule source de fortune qu'offre le programme de l'espace. Dans tout le pays, des firmes imaginatives cherchent actuellement à créer des ensembles, des outils, des appareils qui serviront à rendre plus efficace le « programme d'alunissage » ou à rendre plus révélatrices les autres explorations dans l'espace.

*Vous pouvez « vous enrichir en pensant »,*
*mais avant, vous devez mettre*
*« vos lunettes d'un million de dollars »*

Un jour que je me rendais à Hollywood depuis chez moi à Riverside, j'ai mis mes lunettes roses, juste pour m'amuser.

Au cours de ce petit voyage d'environ 100 kilomètres, j'ai compté neuf grandes occasions de faire de l'argent et qui restaient là, abandonnées, parce que personne ne s'en occupait. Cette situation lamentable ne pouvait provenir que d'une chose. Les hommes et les femmes qui se rendaient en ville étaient trop préoccupés par leurs problèmes quotidiens, comme la maison, les affaires ou qui a dit quoi à qui, au lieu de chercher les occasions de faire de l'argent, qui semblaient se trouver à tous les coins de rue. Je suis persuadé que si cette situation prédomine en Californie du Sud, qui est une nouvelle région d'exploitation, on trouverait bien 10 000 occasions de plus dans les régions plus anciennes du pays — telles que des panneaux de signalisation qui rouillent dans un terrain vague du Bronx.

### Il y a une raison d'argent

Chaque idée, appareil, ou produit offre toujours des milliers de possibilités de variation. C'est à vous d'examiner avec imagination les produits et les services de tous les jours.

Chaque fois que vous ouvrez une porte sur quelque chose de nouveau, ou de différent ou que vous élargissez les possibilités d'utilisation d'un article de tous les jours, vous ouvrez de minuscules fenêtres d'accomplissement qui peuvent devenir des «corridors du temps» brillamment éclairés. A première vue, ceci vous semblera un peu trop poétique, mais c'est la pure vérité. Tout comme l'espace, l'avenir n'a pas de limites.

Il faut cependant faire attention à une chose. Il est très important que, dans le contexte des instructions que vous êtes en train de lire, vous construisiez la route qui vous mène vers une grande richesse étape par étape ; dans la prochaine étape, vous allez cimenter votre avenue personnelle vers la richesse, pour la rendre aussi solide que la Voie Appienne qui a su maintenir l'Empire Romain dans toute son intégrité.

### Résumé

1. Pour pouvoir entrer dans les eaux blanches du cycle du succès, l'individu doit devenir un expert exceptionnel en quelque chose.

2. Puis, il lui faut attraper ce qui lui semble valable — une idée, un article, un produit, ou un service, laïc ou professionnel et trouver quelque chose, dans cet item auquel il puisse mentalement s'accrocher — car ce que vous choisissez comme votre intérêt spécifique deviendra votre billet gratuit vers un grand accomplissement, de quelque nature qu'il soit.

3. Si vous avez besoin de conseil quant à la chose sur laquelle vous allez vous concentrer, mettez-vous à trier, choisir et éliminer, jusqu'à ce que vous ayez aiguisé l'outil naturel de la curiosité sélective aussi finement qu'une lame de rasoir; vous serez alors en mesure de choisir ce qui vous convient.

4. Lorsque vous avez découvert ce que vous voulez, concentrez-vous sur les cinq étapes qui vont vous assurer une place permanente au sommet du cycle du succès et partez avec lui.

5. N'oubliez jamais que même les idées, les événements et les produits les plus terre à terre contiennent le germe d'une grande fortune. Tout ce qu'il vous reste à faire, c'est de mettre vos lunettes roses et de regarder au-delà de l'évidence.

# De quelle façon l'attitude d'attente va vous profiter

Ce principe vous paraîtra peut-être sans importance. En fait, la plupart des gens, en lisant cette règle toute simple, ont plutôt tendance à la rejeter en la traitant de trucage sentimental introduit là pour impressionner les lecteurs; mais lorsqu'un homme ou une femme en comprend la vérité profonde, il découvre en quelques heures un mode de vie tout nouveau.

Tout d'abord, avant d'implanter une vraie attitude d'attente, il est nécessaire d'animer certains actes de volonté directs et positifs de la force dynamique de la puissance de l'esprit. Et si ceci vous semble un peu pesant, j'ai des nouvelles pour vous — vous n'en avez pas encore entendu la moitié.

Pour penser comme un vrai millionnaire qui a du succès, il faut effectuer un certain nettoyage mental. Et pour que le nettoyage soit efficace, il faut éliminer du conscient tout ce qui n'a pas de valeur: c'est-à-dire

1. Toutes les haines, petites ou grandes.
2. Toutes les craintes, qu'elles proviennent de causes réelles ou fictives.
3. Tous les ressentiments, qu'ils soient nés de petits affronts sans importance ou de plaintes sérieuses.
4. Toutes les superstitions, qu'elles reposent sur des plaisanteries ou sur des vestiges de phobies datant des temps anciens.

Autrement dit, éliminez le passé de votre conscient, quelles que soient les sources de votre mécontentement ou de vos aversions.

Evidemment, c'est un ordre qui fait peur; mais si vous désirez sincèrement penser comme un millionnaire et en devenir un, vous exécuterez cet ordre en quelques minutes.

Tout ce qu'il vous faut, c'est un simple acte de volonté animé d'une puissante motivation.

Une fois que vous avez pris, avec force et énergie, la détermination d'effectuer ce nettoyage, il vous faut l'entretenir. Pour donner un sens et une orientation à ce nouveau mode de vie, vous devrez combattre vigoureusement chaque assaut des quatre pièges sur votre conscient et les vaincre. Autrement dit, une fois que votre esprit est purifié de toute saleté, nettoyez-le de tout ce qui détruit la puissance qui vous apporte la richesse d'esprit et votre capacité d'acquérir et de garder une grande fortune.

*Comment se préparer à la richesse*

Il est vrai qu'au début, il vous sera difficile de protéger votre esprit de ces pensées destructives. Mais le résultat, agréablement positif et inspirateur, apparaîtra bientôt: à mesure que vous repousserez ces influences négatives, les attaques de négativisme diminueront de force; finalement, votre esprit pourra développer une attitude d'attente réelle et parfaitement valable. Lorsque vous en serez arrivé là, vous pourrez vraiment déclarer avec emphase:

1. Je suis heureux de tout le bien qui m'est arrivé aujourd'hui.

2. Je sais que je vais gagner, parce que ce que je veux est bon pour moi, pour mes clients et pour mes associés.

3. Je sais que maintenant je m'enrichis physiquement, mentalement et spirituellement et qu'aujourd'hui ma réserve de richesse augmente, parce que maintenant je suis prêt à accepter ma bonne chance.

Lorsque vous aurez vraiment animé toutes les suggestions que vous offre cette étape importante, vous aurez acquis une attitude d'attente à laquelle aucun accomplissement ne pourra résister. Tout le sens et la valeur de votre vie s'animeront d'une vitalité toute nouvelle et des plus énergiques lorsque «tout s'accroîtra pour vous.»

Il est difficile de prédire combien de temps il vous faudra pour en arriver là. Certaines personnes ont vu le miracle s'opérer en un seul jour, alors qu'à d'autres, il a fallu une semaine ou même un mois. La raison pour laquelle il est difficile de vous donner une réponse précise provient d'un seul fait : personne ne sait à quelle profondeur les distractions que vous vous êtes infligées dans le passé se sont enracinées dans votre esprit. Mais dès que vous vous apercevez de votre situation personnelle, vous ne devez plus hésiter une seconde pour organiser une contre-attaque d'affirmations puissantes. Les résultats parleront d'eux-mêmes.

*Lorsque vos pensées se transforment en « choses »*

Dès que vous aurez appris à suivre les étapes faciles menant à une pensée fortement affirmative, vous ne pourrez que vous émerveiller devant l'abîme de négativisme qui semble dominer. En fait, vous vous sentirez tellement exalté de la conscience que vous venez de découvrir, que vous aurez envie de la crier sur les toits; mais n'oubliez pas quel scepticisme accueillera vos cabrioles.

Tout d'abord, vous appliquerez une forte poussée énergique vers l'avant à cette attitude positive — cette attente d'un grand accomplissement — à chaque fois que vous augmenterez votre capital même d'un seul petit sou  ou chaque fois que vous ajouterez à votre réserve de connaissances une pensée dynamique. Ainsi, la croissance doit être maintenue grâce à une attitude de croissance confiante.

L'attitude d'attente ne peut se développer et acquérir de la maturité que dans un terrain mental qui n'accepte pas d'autres pensées que des pensées d'accroissement, quelles que soient les circonstances adverses. Il sera peut-être difficile d'acquérir cette attitude, surtout si le climat de votre esprit est encore dominé par les pensées noires. Mais vous y arriverez et avec un effort relativement minime, simplement en gardant à votre disposition une déclaration puissante prête à contre-attaquer toute tendance à permettre l'intrusion d'une idée négative. C'est ainsi que vos pensées peuvent transformer votre mode de vie en toutes les choses qui édifient l'accroissement et l'augmentation.

*« Demi-tour, Droite! »*

Tous ceux qui ont souffert de longues heures d'exercices militaires connaissent cet ordre, qui cependant, dans le domaine de la puissance de l'esprit, transmet un message que l'on n'oserait ignorer. Walt Newman, vendeur qui réussissait assez bien, a reçu ce message un jour qu'il venait de perdre une commande assez importante uniquement parce qu'il ne s'était pas assez préparé avant de rencontrer son client; et, pire encore, il a du s'avouer qu'il ne s'attendait pas à conclure cette vente de toute façon. En sortant du bureau de son client, il s'est demandé: « Mais qu'est-ce qui cloche, chez-moi? » Comme il était tout seul, la question a été purement réthorique; mais dès cet instant d'évaluation personnelle, Walt a pris la résolution de découvrir la réponse.

Plus tard dans la journée, en attendant un autre client, Walt a feuilleté par hasard une copie de la revue *Millionnaire* qui contenait une partie de ce que vous êtes en train de lire. Quand il a eu fini d'étudier l'article, il n'a pu s'empêcher de déclarer à haute voix: « Ah! Voilà ce qui cloche chez moi! » Imaginez donc le sursaut de la belle réceptionniste à son bureau!

Quoi qu'il en soit, Walt a décidé à l'instant de faire volte-face. Il a décidé de ne se permettre que des pensées positives. Il s'attendrait toujours à gagner. Il ne se rendrait plus jamais, jamais, chez un client sans être prêt à lui parler en termes de profits et d'avantages. Dès cet instant, ses ventes se sont mises à grimper. A grimper tellement, en fait, qu'on l'a connu bientôt comme le petit blond du service des ventes — et qu'un an plus tard, lorsque le directeur des ventes a été promu dans une succursale de l'Est, Walt a pris sa place.

### *Quand on sait comment faire — c'est facile*

Il y a neuf manières de contre-attaquer les invasions d'idées contraires à l'attitude d'attente. Et toutes ces règles naissent d'un seul état d'esprit, qui est très facile à acquérir. Attendez-vous toujours à gagner. Quelles que soient les circonstances, cet état d'esprit, vous mènera toujours au succès. Le truc, c'est de trouver un bon côté à tout ce qui arrive  et de continuer à aller de l'avant. Et ceci se résume exactement dans les sages paroles du philosophe qui disait: « L'important, ce n'est pas la force avec laquelle vous tombez, mais à quelle hauteur vous rebondissiez. »

Bon. Maintenant commençons à introduire les neuf points du progrès dans votre plan d'accroissement quotidien.

*Préparation positive.* Cet état d'esprit se divise en deux parties. La première, c'est de toujours avoir en mains un programme d'action positif et l'autre, c'est de se garder une puissante déclaration affirmative prête à contre-attaquer la plus petite pointe de découragement s'infiltrant dans votre conscient. Les attitudes de ce genre sont comme les nuages noirs: elles s'approchent de vous justement quand votre esprit ne les regarde pas. Mais si on ne les détruit pas tout de suite, elles réussissent vite à dominer nos pensées de tant d'idées négatives que nous perdons tout espoir.

Il y a plusieurs façons de contrecarrer ce danger de pensée négative, mais j'aime à parler de celle qui me vient d'une personne délicieuse de quatre-vingt ans. Il semble que cette charmante petite dame était écrasée par les tristes platitudes du genre: « C'est la volonté du Seigneur, » « J'ai beau faire tout mon possible, rien ne me réussit, » « Je ne gagne jamais rien », «C'est la vie » et ainsi de suite jusqu'à écoeurement.

Un jour, cette personne, que nous appellerons Clara, a remarqué que quand elle pensait à des fleurs, son coeur semblait s'illuminer comme un sapin de Noël. Elle a rapidement découvert que quand les pensées inévitables de désastre commençaient à s'infiltrer en elle, il lui suffisait de penser à ses jolies fleurs pour que les pensées noires, disparaissent comme par magie.

Au début, me racontait-elle, elle pensait aux fleurs presque constamment, mais à mesure que sa nouvelle conscience grandissait, elle a pu sortir de son jardin mental et atteindre un niveau de conscience plus élevé. A partir de ce moment, elle a fait des progrès extraordinaires. Sa santé s'est améliorée presque d'un jour à l'autre. Ses finances familiales se sont subséquemment replacées et elle a découvert du temps qu'elle n'avait jamais trouvé auparavant, à consacrer aux activités de son église et de son cercle.

Vous n'êtes peut-être pas particulièrement porté sur les fleurs, mais quelque part dans votre conscient, se trouve une clé qui relâchera en vous la puissance positive de l'attente constante d'événements positifs — et ils arriveront. Peut-être pas toujours, mais vous arriverez mieux à faire face aux événements adverses, pour pouvoir retourner dans la course et vous remettre à courir sans avoir perdu trop de temps précieux.

*L'anticipation.* Savoir anticiper les événements favorables est une chose, mais savoir comment *élever* ce sentiment à son maximum en est une autre. Voici pourquoi cette émotion des plus énergiques est si essentielle au niveau de conscience du millionnaire: L'attitude d'attente suscite de nouvelles forces puissantes d'éveil, de vigilance, d'astuce — et à la longue, de prédiction. Arthur Brisbane, éditeur brillant, a résumé ceci en disant à un écrivain qui se plaignait: « Si vous ne vous attendez pas à gagner, vous perdrez. »

Cette phrase apparemment naïve contient cependant un danger. L'anticipation vous amène à la porte tout joyeux et frémissant de joie, mais une fois que la porte est ouverte, il vous faut absolument un nouvel objectif des plus désirables pour pouvoir continuer avec encore plus d'espoir, sans quoi vous ne pensez pas vraiment comme un millionnaire. Cette vérité démontre clairement la nécessité d'élaborer un programme d'accroissement et de progrès, fondé sur l'augmentation de demain, de la semaine prochaine, de l'année prochaine et ainsi de suite jusqu'à l'accomplissement de votre objectif ultime.

*Cherchez constamment de nouvelles idées.* Ce procédé d'extension mentale est indispensable. Bien sûr, il ne s'agit pas de matérialiser immédiatement toutes les pensées intéressantes qui vous passent par la tête ; mais le fait de toujours s'attendre à découvrir un trésor dans les idées qui vous viennent est une attitude qui a extrêmement de valeur.

On peut comparer ce procédé de sélection au vieux mineur qui jette patiemment une pelletée de gravier dans son crible, puis qui le tourne et le retourne jusqu'à ce que les pépites brillent et parviennent à des doigts avides.

Ce plan très élevé de la conscience est le tremplin à partir duquel on lance les grandes fortunes dans l'atmosphère multi-millionnaire de la réalisation

*Curiosité orientée.* Ce trait de caractère n'est pas des plus faciles à acquérir. Il faut être conseillé. Mais dès que vous aurez mis en marche votre système d'orientation, vous aurez l'impression que votre carrière est propulsée par une lancée d'un million de livres, tant cette qualité est puissante. Il suffit de suivre la petite règle suivante: «Je ne serai curieux que pour les choses qui conviennent à mon accroissement, à mon progrès ou à mon argent.

*L'empathie.* Ces dernières années, les écrivains et les conférenciers utilisent beraucoup ce mot dans le domaine de l'inspiration. En principe, il vise à inciter les lecteurs et les auditeurs à penser plus à l'autre personne et moins à eux-mêmes, ce qui est bon, car ça nous évite de nous laisser lier par les chaînes de l'égoïsme. Mais ajoutons-y une réflexion nouvelle: l'idée de comprendre les sentiments, les points de vue et les motifs des autres personnes dans le but de découvrir dans quelle direction dérive l'intérêt humain, où il risque d'exploser, pour être en mesure de le devancer avec une réserve abondante du produit ou du service.

Ne blâmez pas les autres, blâmez-vous vous-même. C'est une directive difficile à avaler, mais une fois que vous en aurez absorbé la vérité, vous serez étonné de toutes les nouvelles dimensions que prendra votre progrès vers l'avant. Pourquoi? Tout simplement parce que ceci est plus souvent une excuse qu'une raison valable.

Considérez la chose d'un peu plus près. Dès que quelque chose cloche dans vos plans, la tendance la plus facile est celle de mettre la faute sur le temps, sur quelqu'un d'autre, sur les événements peu favorables ou sur une conspiration imaginaire. Bien sûr, chacun de ces alibis ont un fond de vérité; mais les faits réels vous indiquent tous comme étant le grand fautif.

Pendant que vous cherchez, que vous planifiez et que vous faites des prévisions comme un millionnaire, vous allez anticiper toutes les attaques adverses de vos contemporains soi-disant «amicaux» ou des caprices de la nature. Ou vous allez vous avouer que vous n'êtes pas entièrement prêt à faire face à des démêlés. Ce n'est qu'à ce moment que vous pourrez y voir clair dans chacune des étapes qui suivent. Bref, vous serez toujours prêt à toute éventualité ; vous serez donc aussi prêt, mentalement et physiquement, à faire face à toute déviation ou à tout changement naturel du climat.

J'ai fait une fois ce discours à l'une de mes classes du soir au Alhambra Evening High School. À la fin du cours, un vendeur s'est approché de mon pupitre et a déclaré : « Eh bien ! » Ça, ça m'a ouvert les yeux. Plus d'alibis, pour moi. Je vais être le meilleur vendeur au monde. Je me suis toujours trouvé des excuses pour ne pas avoir réussi à atteindre les quotas ou à répondre à tous mes appels, mais maintenant, c'est fini. » Fidèle à sa parole, cet homme s'est élancé avec tant de volonté que trois mois plus tard il était en tête de toute la force de vente de sa compagnie et que huit mois plus tard, il était promu au poste de chef de territoire, obtenant ainsi une belle augmentation de salaire et des avantages sociaux auxquels il n'avait jamais même osé rêver auparavant.

*Soyez un bon cavalier*

C'est un talent qui requiert de la sensibilité de jugement, de promptes réactions aux rythmes naturels des hauts et des bas de votre vie et la faculté de se soulever et de partir au galop lorsque tous les signes vous disent « en avant ». Quiconque étant le moindrement conscient de sa chance saura reconnaître instinctivement le moment où les événements lui sont favorables. Lorsque ce rythme d'événements s'accélère pour vous, soyez prêt.

Personnellement, je peux toujours compter sur quatre ou cinq choses favorables. Je me prépare à ces instants favorables en faisant des recherches par lettres ou par téléphone, je prépare des propositions ou j'offre des suggestions qui m'engagent *moi aussi* au cas où l'idée serait acceptée. Dès que je m'aperçois que le rythme du succès va se mettre en marche, je laisse tout tomber pour me concentrer à fond sur tous les plans, les projets et les entreprises que j'ai créés; et en conséquence, la plupart du temps, toutes les idées que j'avais créées étaient acceptées. Cependant, même si deux ou trois de mes plans ou de mes suggestions seulement ont porté des fruits, j'aurai tout de même fait un pas de géant vers mon objectif, juste en apprenant à suivre les rythmes naturels de ma bonne chance.

Depuis que j'ai lu le livre d'A.H.Z. Carr sur la façon d'attirer la chance et un autre livre plus récent sur les biorythmes, j'ai transmis cette idée à plusieurs de mes amis et connaissances. Ceux qui avaient cru en l'idée m'ont annoncé plus tard qu'ils en avaient retiré un succès extraordinaire. En fait, l'un de ces hommes est bien proche de devenir millionnaire, tout simplement parce qu'il a appris à suivre les débouchés qui se sont ouverts sur son chemin. *Regardez plus loin que le moment présent.* Celui qui pense toujours en termes d'argent s'habitue à pratiquer un certain exercice mental — celui de toujours regarder plus loin en avant. Il est très facile de mirer l'avenir, à condition de placer trois lentilles de réduction devant les lunettes roses de l'optimisme illimité. *Premièrement, vous évaluez les tendances.* Autrement dit, vous cherchez à savoir dans quelle direction les gens s'en vont, pour être en mesure de les y emmener. *Deuxièmement, concentrez votre attention et votre curiosité sélective* sur toutes les occasions qui s'offrent à vous, en y appliquant le test de convertibilité: cette action me permettra-t-elle d'avancer dans ma carrière ou de faire plus d'argent? *Troisièmement, vérifiez-en le résultat.* C'est-à-dire que vous posez des questions, de façon discrète bien sûr, pour ne pas révéler votre objectif, à *toutes* les personnes qui seraient en mesure de vous informer de façon valable et n'achetez jamais, quelles que soient les circonstances, avec précipitation ou sous la pression du vendeur. Rappelez-vous toujours que 999 fois sur mille, une occasion valable saura vous attendre jusqu'au lendemain.

*Apprenez à rester sur terre.* Évidemment, vous allez le faire mentalement, mais c'est une action qui requiert beaucoup d'équilibre et de maturité. (Nous vous exposerons cette étape dans tous ses détails au chapitre suivant). Lorsque vous vous trouvez en plein succès et ceci vous arrivera sûrement quand vous aurez suivi de façon ordonnée les 15 étapes menant à la richesse, il y a bien des chances que vous vous sentiez envahi d'un besoin incontrôlable de vous envoler dans toutes les directions.

Je pense justement à la carrière de John Ludlow. Apparemment, le bonhomme a cru très sérieusement à toutes ces discussions et a suivi toutes les étapes à fond; les résultats en ont été surprenants.

John dirigeait un petit atelier d'électronique avec un assistant et l'aide de sa femme, quand il avait besoin de ses services. C'était un homme de métier, qui passait son temps à faire des réparations ou des installations. En appliquant la règle de la curiosité sélective, il a inventé un jour une petite nouveauté qui a transformé sa vie du jour au lendemain. Il a fait une demande de brevet et à partir de ce moment, les contrats, puis l'argent se sont déversés à flots dans son entreprise, mais John n'a pas su contrôler cette abondance soudaine. Il a cédé à la folie des grandeurs, s'est engagé non pas dans une, mais dans trois aventures adultères et s'est mis à mépriser ses anciens amis. En fait, il s'est rendu absolument ridicule. Sa femme s'est vite aperçue de ce qui se passait et a demandé le divorce, en se servant largement dans leur compte en banque par la même occasion. John n'en a été secoué que brièvement. Il n'avait que plus de temps pour se comporter en gamin de vingt ans. Il ne buvait qu'à l'occasion, mais par ses autres actes d'intempérance et en négligeant ses affaires, il a perdu le contrôle de son entreprise et est tombé en faillite peu de temps après.

Aujourd'hui, John travaille comme ouvrier spécialisé dans l'un des laboratoires du programme de l'espace; c'est devenu un homme dégradé, et ceci simplement parce qu'il n'a pas su « garder les pieds sur terre ».

Le succès — surtout le gros succès — est une chose capiteuse. Seule une personne équilibrée peut y faire face avec calme; je vous supplie donc d'appliquer à votre conduite certaines disciplines et certaines limites, aussitôt que votre chance commence à augmenter — et elle va vraiment augmenter, car c'est la réalité des lois naturelles de l'accroissement que nous vous révélons maintenant.

N'oubliez pas que les quinze étapes que nous vous présentons maintenant n'ont pas été dérivées de la carrière de quelqu'un, mais de l'expérience et des commentaires d'un grand nombre d'hommes et de femmes qui ont connu le succès et que j'ai connus au cours des années ou que j'ai eu le privilège de pouvoir questionner — tous ceux qui forment l'élite du monde des affaires, de la finance et de la politique. Les observations que l'on m'a faites étaient de réelles affirmations, quelquefois des expériences amères et souvent des observations provenant d'un esprit plein de sagesse et d'expérience.

Aussitôt que vous aurez établi une attitude d'attente sérieuse et positive, vous serez prêt à vous lancer dans la prochaine étape vers la conscience de l'argent. Il est évident que vous pourrez réussir même si vous ne vous attendez pas à gagner, mais vous sentirez toujours que cet ingrédient fondamental manque à vos efforts.

*Résumé*

1. Pour développer une *attitude d'attente* réelle, il faut avant tout procéder à un nettoyage mental. Autrement dit, il s'agit de jeter dans les oubliettes toutes ses haines, ses préjudices, ses craintes, ses ressentiments et ses superstitions.

2. Pour réussir à oublier le passé et ses chers souvenirs des torts que l'on vous a faits, il vous faut un esprit mûr et concentré directement sur une cible d'un million de dollars ou plus.

3. Au temps du Moyen Âge, les chimistes cherchaient avec zèle à transformer des métaux de base en or, mais à notre époque avancée, vous possédez une puissance bien plus miraculeuse que le talent recherché si vainement par les alchimistes de l'ancien temps. Vous possédez la puissance de transformer vos pensées en tout ce que vous voulez, que ce soit de l'or, un succès extraordinaire ou un accomplissement dont la valeur ne ternisse pas avec le temps.

4. Vous pouvez, dès aujourd'hui, faire demi-tour et vous lancer vers votre premier million. Il vous suffit de croire que vous allez gagner.

5. Il existe neuf manières simples de contrecarrer l'invasion de pensées négatives. Joignez-les à votre équipement de travail pour être en mesure d'avancer vers un brillant avenir.

# Commencez petit — grandissez mais restez en tête de file

Maintenant que vous avez mis en marche les quatre principes fondamentaux de l'accomplissement, tout ce qui vous reste à faire, c'est de diriger la pleine puissance de votre curiosité sélective sur votre domaine d'intérêt ou d'action et de trouver dans quelle direction les gens s'en vont. Autrement dit, la *tendance* de pensée qui commence juste maintenant à introduire une étincelle d'intérêt dans votre domaine d'affaires, dans votre profession ou dans votre métier et sur laquelle personne n'a encore soufflé pour l'enflammer. Vous pouvez y arriver avant les autres — à condition bien sûr qu'un nombre suffisant de personnes sache où vous allez, *après* que vous aurez fabriqué toute la vapeur qu'il vous faudra pour arriver à bon port.

Il est facile d'apprendre à penser, à agir et à devenir millionnaire, dans ces Etats-Unis. Il vous suffit de connaître les règles de base et vous voilà parti. Certaines personnes penseront que j'énonce un projet illusoire mal élaboré, mais vous en trouverez la preuve dans les dossiers du Ministère du revenu.

Aujourd'hui, tout comme ces dix-sept dernières années, un nouveau millionnaire apparaît à toutes les trois heures et demie des 365 jours de l'année. Vous pourriez bien être l'un d'entre eux.

L'histoire est pleine d'exemples d'hommes et de femmes qui voulaient bien contempler les sphères lointaines d'un accomplissement qu'ils espéraient, mais trop peu de ces personnes créatives ont pris au sérieux les quatre premiers principes fondamentaux de la pensée et de l'action du millionnaire, que nous vous présentons dans ce livre avec beaucoup de soin.

## Comment développer une curiosité pratique

On peut se rendre compte de la valeur de la *curiosité pratique* dès la première étape vers la richesse en considérant tous les rêves qui ont dû se briser en mille miettes. Plusieurs hommes et femmes, dotés d'un grand potentiel de prévision, sont prêt à s'avancer bien loin dans l'avenir et en sont capables, en créant des idées, mais il arrive bien trop souvent qu'ils planifient, inventent ou organisent des méthodes nouvelles sans tellement s'occuper du niveau de conscience de leurs contemporains. Ou, pour s'exprimer plus simplement, ces gens devraient s'arrêter et se demander : « Est-ce que l'esprit de la moyenne de la population est prêt à accepter la *belle grande idée* que j'ai créée ? »

Vers la fin du quinzième siècle, Leonardo da Vinci a inventé une douzaine ou plus de nouveautés extraordinaires, comme l'avion, le sous-marin et les premiers principes de la radio, mais le gros obstacle qui a obstrué le génie admirable de cet homme a été le fait que les esprits limités de ses contemporains n'étaient pas prêts à concevoir l'avenir à sa façon.

Essayons d'illustrer cette idée d'une autre façon — pour ainsi dire tout le monde connait le «surfing». Dès qu'ils entendent le cri: «Surf's up!», tous les garçons et les filles se mettent à courir. L'intérêt ou la réaction des humains au cycle des événements est assez semblable. L'aquaplaniste bien en équilibre sur la paroi intérieure d'une grande vague ressemble bien à la vague d'enthousiasme qui se précipite pour accueillir une idée suscitée *juste à temps*. Le truc, s'il y en a un, c'est de se placer devant cette force irrésistible et d'aller de l'avant en cherchant à atterrir avec succès.

Au début de notre siècle, Henry Ford a pressenti le besoin urgent d'un moyen de transport rapide. Thomas Edison s'est rendu compte que des millions de foyers détestaient les traces noires que laissaient les bougies et les lampes au kérosène, alors il a développé l'idée de la lumière incandescente. William Randolf Hearst, comprenant le besoin criant des hommes et des femmes d'échapper, même pour un moment, au lourd fardeau de la vie quotidienne, a inventé le journalisme à sensation; et Guglielmo Marconi a évalué très correctement le besoin de communication instantanée; il a donc perfectionné la radio sans fil, ancêtre de notre industrie actuelle de la radio et de la télévision.

Autrement dit, faites comme l'aquaplaniste : restez en avant de la *vague des intérêts humains* et bien vite votre compte en banque regorgera de votre premier million.

## Comment planifier votre position actuelle

En traversant ces premières étapes d'essai, vous voudrez savoir «Comment appliquer ces techniques à ce que je fais présentement ou aux initiatives que je voudrais prendre?»

Je suis toujours surpris du flot de réponses qui me viennent quand je pense à cette question avec intensité et que je fais les recherches appropriées. Commençons votre enquête personnelle en étudiant ces trois *chercheurs de direction* fondamentaux: (1) Test du marché, (2) Retournements de la population et (3) Les tendances de l'intérêt.

Ces trois méthodes sont utilisées par des spécialistes de la commercialisation avec plus ou moins de talent et des conclusions par trop variées. Ils partent tous des mêmes faits. La variable qui tend à faire dérailler tout le procédé, c'est le facteur explosif de l'intérêt humain, que l'on ne peut absolument pas prévoir. Qui, par exemple, aurait pu deviner qu'un cerceau de plastique d'environ trois pieds de diamètre atteindrait un chiffre de vente de millions de dollars peu de temps après avoir été lancé sur le marché? C'est exactement ce qui est arrivé à un jouet communément appelé le «Hula Hoop».

Qu'est-ce qui pousse des hommes, des femmes et des enfants à devenir *fous* d'un produit ou d'un appareil et à abandonner pour celui-ci tout autre article parfaitement valable? Cette bizarrerie de la nature humaine a fait surgir des millionnaires du jour au lendemain et fait précipiter dix fois plus de personnes toutes aussi confiantes — et tout ceci à cause d'une hypnose incontrôlable qui règne sur les questions de potentiel de marché.

Ce serait sottise de ma part de vouloir même prétendre offrir une seule formule simple pour éliminer tous les périls du marketing, mais il existe certaines règles permettant de réduire le risque de se faire rouler. Avant d'introduire ces procédés dans un plan d'action valable, il serait bon d'étudier avec soin chacun de ces « chercheurs de direction ».

## Comment tester le potentiel des idées

D'abord, on peut faire des tests de marché dans un domaine restreint, avec un capital limité à consacrer à la publicité, le produit et le personnel ou alors tester une grande variété de marchés dans les grandes régions métropolitaines de la nation. Tout dépend combien vous comptez dépenser.

Personnellement, je préfère être prudent lorsque je concrétise l'une de mes grandes idées. Cette tendance à limiter mes plans et mes projets m'a évité plusieurs fois de perdre de l'argent. Je dois cependant avouer que cette tendance ne m'est pas venue naturellement. C'est la très regrettée Phoebe Apperton Hearst qui me l'a implantée un jour, dans sa belle villa réputée des environs de Pleasanton, Californie. Je ne sais pas encore ce qui l'y a poussée, mais dans un rare moment de confiance, elle me dit : « Howard, n'aie jamais peur de commencer petit. »

Dans le domaine de l'immobilier, des grands développements de centres commerciaux et résidentiels, il est essentiel de bien connaître les déplacements de la population. Pour évaluer ces déplacements massifs de la population, on peut s'aider des statistiques ; mais ces dernières n'indiquent cependant pas certaines variables, comme le climat, les moyens de transport, le potentiel de vie aisée et même le simple investissement. Par exemple, une fois, j'ai possédé un joli petit bout de propriété près du centre de ce qui est aujourd'hui Palm Springs, Californie, mais comme mon patron, qui est banquier, ne semblait pas très enthousiaste quant à cette acquisition, je l'ai revendue en faisant un petit cinquante dollars de profit.

Je me rends compte maintenant qu'à cette époque, je n'étais pas capable de prédire les choses avec quarante ans d'avance, mais maintenant, en regardant en arrière d'un regard plein de sagesse victorieuse, je peux reconnaître toutes les qualités d'un accroissement extraordinaire.

Pour déterminer les *tendances de l'intérêt*, il faut faire toute une gymnastique de l'esprit et la possibilité de frapper juste est des plus capricieuses. Ceci provient du fait que l'on avance chaque jour tant de nouvelles méthodes, modes, applications ou extensions de nos services actuels, que même douze génies réunis auraient bien de la difficulté à frapper juste, mais, bien cachées dans cette masse de détails, se trouvent des centaines de petites pépites infiniment précieuses — d'une valeur d'un million de dollars ou plus. La seule façon d'en découvrir une, c'est de ne jamais s'arrêter de *prospecter*. Cette recherche vous semblera peut-être ennuyeuse parfois, mais vous y mettrez de la vie en pensant qu'un immense trésor vous attend à la fin d'un million d'arcs-en-ciel. Quelques-uns risquent de mal comprendre cette idée apparemment fantaisiste, mais qui contient une vérité que l'on ne peut pas ignorer.

## Comment repérer les « chercheurs de direction »

Pour savoir dans quelle direction les gens s'en vont, il est parfois utile de regarder avec plus d'attention où ils se sont trouvés dans le passé. Si une grande masse de gens se met soudain à se déplacer dans une certaine direction, c'est toujours pour une raison valable, qui peut être un changement de climat, un manque de nourriture, un manque d'espace ou une foule d'autres causes de malaise. On peut tirer grand avantage d'une étude des déplacements précédents d'une population ou d'un intérêt, en cherchant avant tout les causes fondamentales qui ont semblé susciter un désir de changement.

## Neuf puissants enrichisseurs d'informations

Pour pouvoir évaluer régulièrement avec justesse le développement des tendances d'intérêt ou les profonds courants sous-marins qui suscitent les révolutions ou les retournements d'opinions et de comportement, il est nécessaire d'aller constamment puiser des renseignements. Pour cette recherche d'informations ou même pour réussir à détecter les mouvements de l'opinion publique, n'importe qui, doté d'un esprit interrogateur, peut se servir de certaines procédures bien déterminées qui sauront révéler les avenues menant à la découverte.

Je dois cependant vous avertir que vous ne pourrez négliger aucune de ces méthodes, si vous désirez sortir de l'ordinaire et marcher avec confiance dans l'avenir. Je pense tout spécialement aux neuf *puissants enrichisseurs d'informations* qui peuvent soulever de petits renseignements apparemment routiniers hors des ornières conventionnelles de la pensée. Trop peu de gens utilisent ces enrichisseurs, mais les hommes et les femmes qui pensent en millionnaires s'en servent à fond constamment.

J'expliquerai les détails de ces facteurs explosifs et potentiels après vous avoir présenté les premiers mouvements essentiels. Explorez les domaines suivants :

1. *Les bibliothèques* — pour rechercher l'histoire, les références, les fiches de la bibliothèque, les dernières parutions dans les livres, les revues courantes reconnues comme étant valables ou les journaux locaux qui présentent tous les points de vue.

2. *Les journaux traitant des affaires ou du commerce* — lorsque vous cherchez des renseignements spécialisés sur des produits, des méthodes ou l'emballage.

3. *Votre banque* — vous offre souvent une aide précieuse, mais si vous désirez un rapport *complet*, vous feriez mieux d'en visiter plusieurs. Les banquiers et surtout les directeurs de succursale, tendent à penser d'une façon qui les avantage; allez donc rendre visite à leur concurrent. Mais si vous vous occupez des tendances de la population, cherchez à savoir où les «grands» ouvrent des succursales et dans quelle direction ils vont. Ceci peut s'avérer un renseignement-clé d'une importance vitale.

4. *L'hôtel de ville* — est une source fondamentale de renseignements précieux, si vous insistez pour y rencontrer les personnes adéquates. J'ai remarqué dans le passé, que je n'obtenais pas mes meilleures indications d'une tendance en interrogeant les officiers élus, mais en discutant franchement avec les employés qui le voulaient bien.

5. *Le bureau de recensement* — offre plusieurs belles sources d'information. Par exemple, si vous enquêtez sur les propriétés d'investissement, une étude des chiffres de

recensement vous permettra d'évaluer rapidement le taux de croissance d'une communauté donnée.

6. *La chambre de commerce* — a généralement le doigt sur le pouls de la vie de la communauté, surtout dans les domaines des affaires, de l'industrie, des attractions naturelles ou des avantages spéciaux. Cependant, il est important de savoir que tous les renseignements que l'on vous donne peuvent être surchargés d'avantages positifs orientés vers un point de vue donné. Ceci s'applique également à la source d'information suivante.

7. *Les agents immobiliers* — leurs affaires dépendent uniquement des commissions qu'ils reçoivent et de la valeur des inscriptions qu'ils réussiront à décrocher. Tous les renseignements que vous obtiendrez là seront toujours «suspects». Il vous faut avant tout faire des comparaisons. Vérifiez, par d'autres sources, toute l'information que vous y récoltez. La vérité apparaît alors généralement très clairement.

8 *Les journaux locaux* — ont toujours été pour moi de bonnes sources de pistes. Dans le passé, chaque fois que je pensais déménager, je m'abonnais au journal local, auquel je m'étais intéressé avant toute autre chose. Je me suis ainsi sauvé plus d'une fois d'une erreur qui aurait pu s'avérer très coûteuse ou d'une source de mécontentement suscitée par un déplacement mal pensé et qui ne m'aurait pas apporté ce que je voulais et ce que je désirais. Un journal vous permet de *percevoir* la communauté qui le maintient. Il y a un autre facteur des plus avantageux. Les journalistes sont généralement très francs et ouverts, *officieusement,* en ce qui concerne les conditions, les plans et les projets de la localité.

9. *Les vérifications sur place* — vous révèlent souvent ce qui se passe vraiment dans une région donnée et vous feront parfois découvrir des occasions que vous n'aviez pas soupçonnées. Par exemple, Ted Knowles avait accru son capital avec soin, jusqu'à ce qu'il atteigne mille dollars. Un samedi, sa femme et lui étaient allés juste en éclaireurs, dans le grand désert. Ils désiraient acquérir un lot de sable et de buissons, juste pour investir, mais ni l'un ni l'autre ne se faisait d'idées précises quant à l'avenir immédiat.

En cherchant une propriété disponible, un vieux bonhomme leur a fait savoir que l'on projetait de construire une immense communauté pour retraités et que l'on avait acheté tout le terrain nécessaire, excepté son lot de vingt acres juste au milieu de la piste. Il ne comprenait pas bien pourquoi on l'avait ignoré, mais il dit à Ted qu'il pouvait l'acheter. Ted lui a dit qu'il n'avait que mille dollars.

«O.K., je vais le prendre et vous me ferez un billet à ordre sur six mois pour le reste.»

Ted a fait quelques vérifications et s'est aperçu que l'étranger avait dit vrai et en une heure, il s'était approprié le lot apparemment sans valeur. Il y a risqué toute sa fortune.

La journée du lundi était claire et brillante, comme elle l'est toujours dans les régions désertiques de la Californie du Sud, pendant qu'une tempête violente éclatait dans les bureaux de la compagnie de développements immobiliers. Les géomètres, l'équipement lourd et les matériaux de construction étaient déjà en chemin: il fallait faire quelque chose et vite. Quelqu'un avait fait une bêtise, mais ce n'était pas le moment d'en discuter. Le président de la compagnie s'en alla voir Ted à son travail de gérant d'une station-service. Ce n'était sûrement pas très malin de sa part d'y aller en personne, mais il n'avait plus grand temps.

La première offre qu'a faite ce grand directeur puissant était ridicule et Ted a compris alors que sa position était beaucoup plus avantageuse qu'il ne l'avait pensé au premier abord. Visant un chiffre spécifique, notre nouveau propriétaire de terrain a émis une somme totale de $5000 de plus que ce qu'il avait payé lui-même, avec un air de «c'est à prendre ou à laisser». Le «grand boss» a explosé. Il a tempêté, puis il a crié comme un cochon que l'on saigne, mais il y a payé le plein prix et a bien payé.

A partir de ce jour, Ted et sa femme sont devenus de vrais chercheurs de fin de semaine — ou prospecteurs d'occasion. Ils n'ont pas encore atteint leur premier million, mais dans environ cinq ans, ils posséderont des certificats et des propriétés pour une valeur bien plus élevée que ça.

La morale de cette histoire se résume en un seul fait: Vous ne pensez pas en millionnaire si vous restez à la maison à regarder la « partie de baseball » à la télévision ou à remplir les vitrines des champs de courses, tout un après-midi, dans une douce paresse.

## Pourquoi faire des vérifications « sur place »

Le fait de se rendre sur les lieux et de parler aux gens est extrêmement précieux. L'important, c'est de toujours s'efforcer *d'écouter* — de toutes vos forces audioperceptives — et avec un esprit prompt à reconnaître les occasions de faire de l'argent. Rien au monde n'est plus excitant que le son d'une grosse somme d'argent tombant dans un compte en banque en voie de développement.

Bien entendu, il y a certaines petites choses à observer lorsque vous cherchez et interrogez les gens capables de vous apporter des renseignements précieux. En fait, *les premiers contacts* ne représentent que les premiers pas que vous faites sur la route délicieuse et fascinante qui mène à la richesse. Vous devez absolument considérer chaque homme et chaque femme que vous rencontrez comme la possibilité d'une occasion d'un million de dollars.

Il y a des façons précises d'approcher les gens — non pas désinvolte ou abstraite — mais en faisant preuve d'un intérêt réel et sincère pour la personne même et pour les choses qui l'entourent, parce que la porte que vous ouvrez sur la vie de quelqu'un d'autre doit pivoter des deux côtés. Ce qui se passe après ça doit lui profiter autant qu'à vous. On néglige souvent ce genre d'altruisme, mais il est vital pour votre accroissement et votre développement. Dans la prochaine étape vers la pensée et l'action d'un millionnaire, nous vous expliquerons dans tous les détails comment atteindre cet objectif. Vous êtes maintenant prêt à vous engager dans la prochaine étape, qui est incroyablement importante.

## Résumé

1. La seule façon d'acquérir une grande richesse, c'est de regarder en avant, planifier à l'avance et de s'y trouver avant tout le monde avec le maximum de ce qui est nécessaire. Les offres réalistes de biens, services ou d'un nouveau mode de vie ( l'espoir ),qui répondent à un besoin certain, faites *au bon*

*moment*, forment un chemin royal vers une grande richesse ou un grand accomplissement.

2. Rien ne vous fera mieux avancer et de façon plus régulière, que la curiosité constamment interrogatrice, pratique et sélective.

3. Lorsque vous commencez à chercher des renseignements sur les déplacements, les tendances et les goûts, vous avez trois règles fondamentales à observer.

4. Autrefois, de vastes hordes mongoles partaient conquérir de nouvelles terres grâce à un *wagon-guide*. Ce véhicule robuste contenait un immense compas rudimentaire qui leur indiquait le chemin du retour. Dans notre quête moderne de la richesse, nous disposons de moyens plus raffinés pour chercher les occasions. Une fois que vous aurez appris les méthodes exposées dans les neufs «chercheurs» de direction, plus rien ne pourra vous retenir.

5. Dans la prospection d'occasions, rien n'est plus précieux que la quête de renseignements faite sur les lieux ou la rencontre personnelle d'hommes et de femmes qui sauront vous répondre.

# Comment frapper la richesse avec un compte en banque de contacts

On n'estimera jamais trop la valeur des contacts. En fait, ils sont la pierre angulaire du procédé de croissance vers une grande richesse, et, mieux encore, l'art d'effleurer la vie d'une autre personne — même pour peu de temps — de façon positive et serviable, est extrêmement précieux. Chaque nom que vous ajoutez vraiment à votre compte en banque de contacts, qui se développe régulièrement, vous apporte un potentiel de *dix mille dollars.*

Bien entendu, ce réservoir de l'accroissement doit être placé au milieu d'une source toujours croissante d'amis, de connaissances, et de relations d'affaires. Mais ce chemin apparemment tout simple vers l'abondance comporte un certain danger: le réservoir doit être approvisionné — aux moments et aux endroits voulus — d'un régime positif de ( 1 ) sincérité, ( 2 ) d'un comportement réellement amical, et ( 3 ) de la ferme résolution de ne jamais vous imposer sur un membre, quel qu'il soit, de votre charmant cercle d'amis ou d'associés rencontrés par hasard.

Et de plus, cela va sans dire, ces qualités doivent être exploitées avec une intégrité d'esprit, de but, et d'action.

Au cours des années j'ai eu le privilège de rencontrer personnellement de nombreux individus qui avaient atteint le statut de millionnaires — possédant des valeurs allant d'un simple million à cent millions. Chacune de ces personnes était dotée de trois qualités d'une importance vitale: ( 1 ) une dose équilibrée de courtoisie et de considération pour autrui, (2) de la promptitude à répondre rapidement à des questions de routine telles que le courrier, même s'il ne s'agissait que de dire «non», et (3) une attitude de *détermination* constante, qu'ils raffermissaient par une demande incessante des faits et / ou des renseignements qui pouvaient leur donner une idée des *deux côtés* de toute situation pour laquelle ils devaient prendre une décision.

Il est si étonnamment facile de développer un compte en banque de solides contacts précieux, que la plupart des hommes et des femmes ont tendance à négliger un atout incroyablement précieux, de le considérer comme sans importance, alors qu'il représente en fait la pierre angulaire de toutes les grandes fortunes. Le truc, s'il y en a un, c'est : d'*écouter tout le monde*, mais de ne donner votre parole (promesse) qu'à quelques-uns.

A partir de là, votre compte pourra croître quotidiennement de façon surprenante. Il vous suffit de tenir un petit carnet privé ou un dossier de chaque nouvelle personne que vous rencontrez en affaires, lors d'activités sociales ou sur présentation fortuite. Naturellement, la technique, c'est de ne pas laisser apparaître votre motif. Contentez-vous de noter mentalement les données fondamentales (une carte d'affaires s'avérera utile) de tous les renseignements qui vous seront donnés lorsque vous rencontrerez une personne nouvelle, de façon très discrète. C'est intentionnellement que je me répète, pour la bonne et simple raison que vous pouvez détruire tout le projet juste en laissant apparaître vos intentions.

## Comment se servir de trois mots d'or

Au cours d'une journée active, la plupart des hommes et des femmes rencontrent plusieurs nouvelles personnes. Ce que chaque individu fait de ces rencontres, prévues ou fortuites, modèle sa destinée. Il peut oublier l'occasion en ne la considérant qu'utile au moment présent ou alors garder en réserve la rencontre fortuite pour le jour où elle pourrait se développer et devenir extrêmement précieuse.

Pour animer ces rencontres d'une étincelle de vie — et cette *clé* est aussi importante pour les contacts nouveaux que pour les contacts anciens — il faut ajouter à votre programme d'accroissement l'ingrédient infiniment précieux de la mémoire. Par mémoire, j'indique les choses qui concernent l'autre personne. Par exemple, j'ai établi une liste personnelle des fortes motivations fondamentales qui semblent animer toutes les personnes actives : (1) la santé, (2) le succès, (3) l'argent, (4) l'estime des autres et (5) la famille.

On peut ajouter à cette liste dix articles complémentaires que l'on devrait noter concernant chaque personne — peut-être pas tous ensemble, mais que vous devriez discrètement ajouter au dossier d'informations qui grandit régulièrement et que vous tenez sur chacune des personnes que vous avez incluses dans votre compte en banque de contacts :

1. Date de naissance, mais ( pas l'âge )
2. Anniversaires
3. Violons d'ingres ( s'il y a lieu )
4. Préférence religieuse
5. Inclinations politiques et affiliations
6. Ambitions
7. Loge ou Club de service auquel il participe
8. Comportement professionnel ou travail
9. Initiatives communautaires
10. Intérêts sportifs, comme participant ou comme admirateur.

De deux choses l'une : soit que cette méthode vous fasse récolter un tas de détails sans importance, soit qu'elle anime les personnages que vous avez admis dans votre compte en banque de relations ; et vous les attacherez à votre entreprise et à vous-même grâce à trois mots d'or : *Merci* et *Mes félicitations.*

Lorsque quelqu'un vous fait une faveur, dites «merci», si possible avec un ton empressé et bien formulé, transmettez votre appréciation brièvement et avec sincérité et évitez toute sentimentalité. Si votre relation obtient une promotion, se fait honorer de façon spéciale ou est promue à un poste important, envoyez-lui un mot tout aussi bref de *félicitations* et si vous avez appris son succès par le journal, joignez-y la coupure qui mentionne son accomplissement.

N'oubliez pas que les relations sont très fragiles. Traitez-les toutes avec courtoisie, compréhension et considération, car il est reconnu que ces pensées font vraiment partie de la pensée des millionnaires. Maintenant, vous pouvez vous compter du nombre.

*Comment faire démarrer votre idée.*

Mary Jane S. a travaillé comme secrétaire de l'école d'une communauté environnante pendant de nombreuses années. En plus de son travail quotidien, Mary s'amusait à offrir une carte d'anniversaire personnalisée aux membres du personnel et aux professeurs. Lorsque l'un deux recevait une mention spéciale ou qu'un bébé naissait dans une famille ou que quelqu'un se mariait, elle semblait toujours trouver exactement la bonne carte pour l'occasion. D'autres fois, lorsqu'un membre du groupe tombait malade ou perdait un être cher, elle se trouvait toujours à ses côtés avec un mot de sympathie chaleureux et sincère.

Bien des fois, durant l'année, Mary était tentée de laisser tomber son habitude. Tant de personnes dont elle se souvenait semblaient ne pas savoir apprécier ce qu'elle faisait. Mary n'attendait pas de la « reconnaissance », mais elle s'attendait tout de même à une réaction quelconque ou à un « merci ». Il y en avait toujours quelques-uns qui prenaient le temps de lui rendre la pareille, mais elle n'a été vraiment récompensée qu'au jour de sa retraite. On a organisé deux surprise-parties en son honneur — un immense dîner et une réception en son honneur, au cours de laquelle tous les invités ont eu un plaisir indescriptible.

Le dernier jour de travail de Mary, plus de trois cents amis, dont des professeurs, des administrateurs de l'école et des membres du comité parents-professeurs lui ont apporté leurs félicitations, sous forme de cadeaux précieux, dons en argent et de décorations que les étudiants avaient créées et montées eux-mêmes et auxquelles ils avaient dû consacrer des heures et des heures. Le nouveau directeur des écoles lui a fait une visite surprise, accompagné de quelques notables. Inutile de dire que Mary Jane a adoré chaque minute de « sa journée ».

*Comment récolter les produits du temps et de la patience*

Les contacts ou relations d'affaires précieuses, ne se forment pas en une journée. Il faut y mettre le temps et beaucoup de mémoire. Mais le plan offre tout de même une chose positive. Il paie, il paie bien, à condition que l'idée soit développée avec un enthousiasme réel.

Commencez à édifier votre programme juste ici, dans votre lieu de travail. Dès que vous vous serez familiarisé avec les principes de la mémoire, les renseignements vous viendront si facilement, que vous ne cesserez de vous demander comment vous aviez pu passer à côté. Par exemple, la plupart des gens répugnent à révéler leur âge, mais très peu d'entre eux accepteraient de laisser passer un jour d'anniversaire sans le mentionner.

Et c'est votre première clé. Vous n'avez qu'à noter la date mentalement et plus tard, vous inscrivez le renseignement que vous vous êtes gagné si discrètement dans votre dossier. Et maintenant la grande surprise. L'année suivante, à l'approche de cette journée, envoyez à la personne une carte d'anniversaire, sur laquelle vous aurez ajouté un petit mot personnel.

L'effort vaut déjà juste l'air d'étonnement complet qui passe sur le visage de la personne, qui se rappellera secrètement ce petit geste d'attention. Mais ce n'est que la première étape. Dans la vie de chaque homme et de chaque femme avec lesquels vous travaillez, vous aurez maintes occasions de répéter ce même geste d'attention, sans effort apparent. Pourquoi ? Parce qu'il donne toujours, sans exception, quelque fierté à la personne, qui vous considère alors plus que jamais comme un ami ou un bon collègue.

Lorsque vous aurez fait grandir et épanouir cette estime en la nourrissant soigneusement de toujours plus de souvenirs, vous serez un jour surpris de découvrir une liste toujours croissante d'occasions que l'on viendra vous offrir. C'est une vérité de la nature humaine que l'on ne peut pas ignorer: *les gens aiment qu'on les apprécie et que l'on se souvienne d'eux.*

### Où vous trouverez quatre autres clés d'or

Le jour où j'ai décidé de devenir un « écrivain de renommée internationale », je dois avouer que je ne connaissais rien à ce domaine. En fait, mes éditeurs me rappellent encore cette idée ignoble. De toute façon, j'ai parcouru avec avidité chaque avenue qui m'amenait à mon objectif. Bien entendu, je me nourrissais des revues d'écrivains, de livres sur la rédaction et de l'inévitable club des écrivains. Mais ce qui m'a apporté le plus de résultats, ce fut de prendre contact avec des écrivains réputés. Pour cela, j'ai été en quelque sorte poussé à écrire des lettres d'appréciation pour travail bien fait ou pour des idées dont ils avaient parlé et qui m'avaient vraiment beaucoup aidé. Et est-ce que j'en ai été récompensé? Vous avez deviné juste.

Aujourd'hui, je compte encore parmi mes amis des hommes et des femmes avec lesquels j'ai correspondu au cours des débuts de ma vocation d'écrivain, mais, ce qui m'a apporté plus encore de résultats, c'est que je m'arrangeais toujours pour y inclure une question qui me troublait sur un sujet quelconque et je joignais toujours à ma lettre une enveloppe timbrée et pré-adressée. On a souvent ignoré cette dernière courtoisie, mais je sais aussi que d'autres fois elle a suscité la prompte attention dont on m'a honoré.

De nouveau, en traitant avec les gens, on ne peut ignorer la vérité fondamentale suivante: *Plus ils sont importants, plus ils sont faciles à atteindre, surtout par lettre, à condition de dire la bonne chose, au bon moment, d'une façon brève et courtoise.*

On ignore aussi souvent un autre point de départ, pour la simple raison que l'on a tendance à ignorer ceux qui se trouvent au bas de l'échelle d'une entreprise. L'employé qui se trouve aujourd'hui au bas de l'échelle peut bien se retrouver directeur demain — et c'est bien souvent ce qui arrive. Efforcez-vous d'ajouter à votre liste de personnes dont vous devez vous rappeler, le commis de bureau qui actuellement ne semble pas bien important. J'ai reçu un jour une leçon que je n'ai jamais oubliée. Dans l'un des bureaux auquel je me rendais souvent, il y avait une petite souris de jeune femme au comptoir de réception. Ce n'était pas le genre à gagner des concours de beauté, mais elle était très compétente et c'est elle qui s'occupait de tout le courrier adressé à l'éditeur. Je n'ai jamais manqué de complimenter cette jeune fille de manière désinvolte et de m'arrêter un instant pour la taquiner discrètement.

Un jour que je me rendais au bureau comme d'habitude, j'ai aperçu une nouvelle jeune fille au comptoir. J'ai demandé où était Lindy et la réponse m'a fait sursauter. «Oh,» a répondu la nouvelle employée, «Lindy a épousé le patron la fin de semaine dernière.»

Franchement, je ne métais jamais attendu à faire beaucoup d'affaires à partir de cette source-là, mais à partir de ce jour-là, mes offres ont toujours été les toutes premières à être considérées et elles étaient acceptées plus souvent qu'auparavant, en autant que ma copie soit au moins comparable aux autres soumissions.

Vous pouvez dès aujourd'hui exploiter les *clés d'or* suivantes:

1. Cherchez absolument à savoir qui règne dans votre domaine.

2. Il est indispensable que vous alliez, si possible, rencontrer ces hommes et ces femmes en personne; s'il le faut, trouvez quelque raison valable de leur écrire. Qu'il s'agisse d'une question, d'une lettre d'appréciation ou un *merci* pour une bonne idée, écrivez-leur sans faute.

3. Recherchez vos anciens camarades d'école et écrivez-leur un mot. La plupart d'entre eux ne prendront pas la peine de vous répondre, mais vous serez surpris de remarquer que ceux qui sont en train de monter — ou de redescendre — vous répondront. Vous pouvez vous passer des médiocres et ceux qui ont échoué devraient, soit être aidés, soit laissés de côté.

4. Ajoutez à votre liste au moins un contact chaque jour. Et vous n'y arriverez qu'en sortant et en rencontrant des gens, en voyageant et en posant des questions. Intéressez-vous sincèrement aux individus et aux événements. Tout ce qui attire votre attention mérite que vous l'étudiiez. Vous ne savez jamais quand ni où votre prochain contact ou votre prochaine situation se révélera être une belle source d'occasions — ça peut être n'importe qui, du petit commis de bureau au grand président.

*Comment activer les cinq forces dynamiques qui vous permettront d'attirer et de conserver vos contacts.*

Comme dans tout métier, commerce ou profession, il existe certains principes à suivre pour attirer les clients; de même, pour attirer et conserver les contacts, vous devrez suivre certains conseils. Essayez d'animer les forces dynamiques que nous vous présentons ici d'une puissance réelle et vous verrez votre carrière s'élancer dans la prochaine orbite du succès:

*La dynamique de l'appréciation.* Nous en avons déjà légèrement parlé dans le paragraphe précédent, mais en avez-vous vraiment fait l'un de vos instruments de travail? Je l'espère bien. Nous savons tous qu'il est indispensable de cultiver ce trait de caractère. Certaines personnes apprennent très tôt dans la vie à apprécier les autres — surtout si en grandissant, ils doivent s'entendre avec leurs frères et soeurs, mais même à ça, nous sommes presque tous obligés de gagner durement ce talent. Assurez-vous de montrer de l'appréciation pour tout ce que l'on vous fait, soit en le disant, soit en l'exprimant dans un petit mot ou par une simple réaction qui transmet un « merci » sincère.

Une fois, j'ai félicité un orateur connu pour l'opinion courageuse, mais impopulaire, qu'il avait démontrée sur un certain sujet. Cet homme ne l'a jamais oublié. Depuis lors, il a dirigé pour plus de $20 000 de chiffre d'affaires vers mon entreprise. Pas mal, comme résultat, pour un instant d'attention.

*La dynamique du service.* Dans son livre inhabituel intitulé RÉFLÉCHISSEZ ET DEVENEZ RICHE, Napoléon Hill définit cette force comme « parcourir un mille de plus ». On peut traduire ce concept de bien des façons, mais ce qui nous intéresse maintenant, c'est la façon dont il nous aidera à gagner de nouveaux contacts. Au fond, il s'agit simplement de rendre de petits services en plus de ceux qu'exigent nos relations d'affaires habituelles.

J'ai observé de près la carrière de plusieurs hommes d'affaires, hommes de professions libérales et politiciens qui ont atteint un grand succès et ils semblaient avoir une qualité en commun, celle d'en faire toujours un peu plus que ce que l'entente exigeait.

J'aime à me rappeler des belles années des films de George Murphy. Il faisait toujours quelque chose pour quelqu'un. Un jour, je lui ai demandé « Pourquoi? » Sa réponse était sincère. « Je ne sais pas, Howard, je pense que c'est juste parce que j'adore ça. » George Murphy est maintenant l'un des sénateurs des États-Unis et il recevra certainement des responsabilités bien plus importantes.

*La dynamique de la considération.* Il y a énormément d'applications pratiques à ce concept, mais je n'en citerai que trois — ceux qui pourraient facilement changer le monde du jour au lendemain. Tout d'abord, si tout le monde introduisait la considération pour autrui dans son mode de vie, le nombre d'accidents de la route diminuerait de 90% dès aujourd'hui. Il ne resterait que les facteurs absolument inévitables. Ensuite, la politique changerait du jour au lendemain et passerait de la recherche bon marché des avantages personnels à l'art trés élevé de conduire les affaires de l'État. Troisièmement, vous pourriez, par vos gestes enthousiastes et considérés pour votre famille, vos associés, et vos contacts, ajouter une dimension d'un million de dollars à l'ensemble de votre personnalité et ceci en quelques jours.

Rappelez-vous que *votre liberté finit là où commence celle des autres.*

*La dynamique de l'inspiration.* Ceci peut s'avérer une source extraordinaire de bonnes choses, non seulement pour vous, mais pour tous ceux qui entrent en contact avec vous. Par un seul mot, ou un geste, vous pouvez répandre un rayon d'espoir — de soleil — si vous excusez la banalité de ce mot, un peu de courage si nécessaire dans une période de tension ou la volonté de se reprendre et de tout recommencer. Nous avons tous besoin, à un moment ou un autre, de ce stimulant extrêmement précieux. Quand vous vous sentez à votre meilleur, donnez sans vous retenir, comme disait justement un homme très sage: «Jette ton pain à la surface des eaux: car avec le temps, tu le retrouveras.»

*La dynamique de la compréhension.* Ce trait de caractère des plus précieux doit se cultiver de façon entièrement différente de toutes les autres forces dynamiques. Tout d'abord, lorsque l'un de vos contacts est écrasé par un gros problème ou qu'il se trouve dans un grand moment de gloire, il convient toujours de lui envoyer un mot de sympathie ou de félicitations, mais on n'oublie que trop souvent un ingrédient essentiel, c'est-à-dire la touche personnelle, celle d'aller rendre visite à l'homme ou à la femme qui a été blessé ou honoré. Et avant de vous y rendre, asseyez-vous avec calme et revoyez la situation dans laquelle se trouve l'autre personne, pour que votre présence soit empreinte de sincérité et de vitalité.

*Comment retirer une valeur monétaire de ses contacts*

Lorsque j'ai entendu parler pour la première fois de la valeur potentielle des *contacts*, par Ed Keller, président de la Western Advertising Agency, peu après la fin de la deuxième guerre mondiaie, j'avouerai que j'ai mis bien du temps à assimiler l'intention de cette méthode.

Pendant un certain temps, je me suis contenté de garder une fiche d'index ou une carte d'affaires contenant les renseignements pertinents, mais avec le temps, je me suis aperçu qu'il manquait quelque chose quelque part. Un jour, je me suis décidé à y penser. Et ça ne m'a pas pris de temps. Dès que j'ai résolu de me concentrer sur le problème, la réponse m'est apparue clairement. Au cours des années qui ont suivi, je me suis aperçu que les vrais millionnaires se devaient de découvrir le secret tout seuls, avant de pouvoir réaliser un grand accroissement d'argent. Moi aussi, j'ai dû apprendre durement. Un simple fichier plein de noms n'avait pas grande valeur en soi. Le jour où j'en ai été conscient, j'ai commencé à faire des progrès.

Le grand truc, c'était de placer une valeur monétaire sur chacun de mes contacts. Puisque je voulais devenir millionnaire, je savais que je devrais trouver, entretenir et soigner au moins *cent contacts*. À partir de ce moment, j'ai placé une valeur arbitraire de $10 000 sur chacun de mes noms. Ceci composait la somme d'un million de dollars à laquelle j'aspirais et pour y arriver, en fait, j'ai vraiment dû *penser en millionnaire*.

Avec le temps et l'expérience, je passe rarement une semaine sans ajouter au moins un nom à la liste et, par la même occasion, je trouve toujours sage d'en retirer un nom pour une raison ou une autre. Malgré tout, il vous arrivera toujours des petits désagréments, mais en affaires et surtout s'il s'agit des vôtres, vous remarquerez qu'il vous est indispensable de prospecter quotidiennement de nouveaux contacts. Dès que vous aurez vos cent noms, vos biens financiers, vos produits et vos propriétés s'accroîtront dans tous les sens, mais vous devrez vous rappeler d'un point essentiel. Ce plan d'action est une route à deux voies. Vous vous trouvez probablement *vous-même* sur une ou deux listes de contacts; par conséquent, si vous voulez *recevoir*, vous devez *donner*.

Une fois que votre liste sera complétée, vous serez prêt à introduire une grande puissance dans la prochaine étape vitale pour faire de l'argent.

*Résumé*

1. Les contacts amicaux et serviables sont aussi essentiels à votre succès que la pratique de la pensée positive, votre argent en banque ou vos diplômes.

2. Trois mots d'or vous aideront à développer des contacts précieux et à les maintenir : *Merci* et *Mes félicitations,* mais vous devez les animer de la puissance de la *sincérité.*

3. En édifiant votre compte en banque de contacts, n'hésitez pas à commencer au bas de l'échelle. Le petit employé ou commis d'aujourd'hui, pourrait bien être le président de demain.

4. Il vous faut apprendre et mettre en pratique, les cinq forces dynamiques des relations humaines : *l'appréciation; le service* en plus du devoir exigé; *la considération* pour autrui; la valeur de *l'inspiration;* et *un cœur compréhensif.*

5. Placez une valeur de $10 000 sur chacun de vos contacts, et ne vous reposez pas avant que votre liste n'en contienne au moins *cent.* Mais rappelez-vous toujours que vous aurez toujours un problème de recrutement. Vous aurez des désagréments. Rappelez-vous aussi que ce plan d'action est une route à deux voies. Vous vous trouvez probablement sur la liste de quelqu'un d'autre présentement. Vous devez *donner,* si vous voulez *recevoir.*

# Comment construire un nom puissant qui attire le succès

Vous devriez vous occuper sérieusement de développer et de diriger la croissance d'un nom précieux, *le vôtre*, qui soit doté d'un attrait puissant, c'est d'ailleurs ce que devrait faire toute personne désirant penser, agir et atteindre le statut d'un millionnaire.

On publie actuellement énormément sur *l'image* d'une personne, d'un établissement ou d'une localité. Examinons donc les nombreux plans qui serviront à ajouter une grande valeur à votre «image d'un million de dollars».

En évaluant le *magnétisme dynamique* que le nom que vous portez exerce sur les autres hommes et femmes, qu'il n'y en ait qu'un ou un million, vous vous devez d'observer certains facteurs, sans quoi l'*image* de votre personnalité efficace sera légèrement *mal centrée,* ou pire encore, complètement déformée.

*Qualités fondamentales d'un «nom puissant»*

Pour évaluer les *valeurs du nom*, il est essentiel que vous considériez un instant les qualités qui font naturellement partie de *l'expression vitale* que vous représentez en cet instant, pour la raison évidente que c'est justement l'effet que vous exercez sur vos amis et vos associés qui stimule ou qui démunit, le nom commercial par lequel on vous connait.

Je suis parfaitement conscient du fait que cette idée que je vous présente coupera le souffle à plusieurs d'entre vous. Je comprends mal comment de nombreuses personnes ayant atteint le succès considèrent le nom qui les identifie comme une partie mineure de leur manifestation d'êtres humains. Une fois que vous comprenez cette vérité fondamentale, vous y attachez justement autant de *valeur* qu'aux produits que votre plan de publicité vous incite à acheter. Cet effort de promotion qui vous a poussé, à vos débuts, à faire certains achats, était une petite *attraction électrique*, qui a réveillé en vous un besoin. De même, vous pensez en millionnaire lorsque vous développez les valeurs de la personnalité que votre nom représente.

Il est évident que vous êtes le seul à pouvoir en fournir les ingrédients. Votre attitude, vos actions et vos réactions dans le monde au sein duquel vous vous êtes activement engagé vous révèlent clairement et sans équivoques, le type de personne que vous êtes. Pour atteindre un statut d'affaires qui attirera l'envie et la haute et *utile* considération de vos amis et de vos associés, il vous faut considérer avec soin ces cinq étapes pratiques :

1. Construisez-vous un bon crédit et maintenez-le. Pour ce, vous éviterez d'acheter plus que vous ne pouvez dépenser et vous paierez *à temps* ce que vous aurez acheté ou ce à quoi vous vous serez engagé.
2. Spécialisez-vous à fond dans un domaine quelconque des affaires — une science, un métier ou une profession — et ne gardez pas le secret quant à cette spécialisation.
3. Participez à des affaires connexes, où vous pourrez démontrer l'avantage de ces talents.
4. Autant que possible, contactez des personnes responsables qui ont besoin des talents que vous vous êtes développés.
5. Cherchez toutes les occasions possibles de faire connaître à la ronde vos talents de spécialiste, *mais de façon discrète.*

*Elaboration ordonnée du nom*

En plus des suggestions que nous venons de vous faire, vous pouvez suivre quatre méthodes ou plans, beaucoup plus puissants et positifs, pour développer votre *nom puissant* — plus un autre tout aussi efficace, mais que l'on peut considérer comme négatif, puisqu'il comporte un risque qui frise souvent le désastre.

1. Le développement très coûteux d'un nom ou une campagne de publicité qui requiert de grosse sommes d'argent, un bon nombre de contacts hautement placés, un sens inhabituel de

l'initiative et une ignorance téméraire de toutes les méthodes-clichés de se faire un nom.

2. Une compétence rare et extraordinaire en une activité très inhabituelle.

3. L'occasion de commettre un acte extraordinaire d'héroïsme.

4. Une belle grosse chance — c'est-à-dire le fait de se trouver à la bonne place au bon moment et d'avoir les talents nécessaires à affronter le défi.

5. La notoriété. Mais ceci peut facilement s'avérer dangereux et nous ne vous le recommandons pas, même en calculant les risques.

Vous pouvez sans aucun doute construire vous-même votre propre image, mais la création d'une personnalité, ainsi que le fait de posséder la puissance d'attraction d'un million d'aimants exige certaines qualités complémentaires que vous seul pouvez fournir. Comment les mélanger au produit fini que *vous* êtes est une question entièrement personnelle et vous êtes entièrement maître de ce *projet de construction* extrêmement satisfaisant. Les autres peuvent bien vous aider, à condition que vous leur fournissiez les *tremplins* qui leur feront faire la bonne chose, mais à la fin, il n'y a que vous qui puissiez compléter le mélange de façon à faire progresser le tout. Et ceci doit avancer sans hésitations dans l'avenir chaque jour, sans exception, selon la Loi de l'Accroissement.

## Techniques positives d'édification de l'image

Une personne peut faire plusieurs choses pour attirer l'attention du public sur elle-même. Certaines de ces choses sont positives, certaines sont créatives, peu d'entre elles sont entièrement neutres et, à l'occasion, certaines peuvent s'avérer absolument négatives, sinon désastreuses. Pour éviter la confusion et même la frustration, qui peut résulter de projets mal conçus, vous feriez bien de *vérifier* les cinq points principaux qui devraient guider votre réflexion chaque fois que vous vous préparez à adopter une action qui, vous espérez, ajoutera du prestige à votre nom. Vous devriez appliquer au moins l'essentiel de ces conseils à chaque action que vous vous préparez à adopter.

1. L'idée à laquelle je pense implique-t-elle un puissant motif?

2. Saura-t-elle plaire à assez de gens pour remplir le but que je vise?

3. Mon plan me profitera-t-il vraiment?

4. Est-ce ma propre réaction émotionnelle à l'idée qui me pousse à adopter cette action ou est-ce que je sens que beaucoup de gens ont tendance à avancer dans la direction de l'action que je me prépare à adopter ?

5. Est-ce que l'idée à laquelle je pense va faire augmenter d'un pas de géant la valeur de mon nom puissant?

## *Quand agir par « spéculation »*

A mesure que vous avancerez dans vos plans d'affaires, votre carrière, ou votre profession, vous rencontrerez toujours plus souvent un homme ou une femme moins avancé que vous et qui vous présentera une idée ou un projet qui vous semblera assez valable. Revenez alors en arrière et soumettez le plan en cinq points à la proposition. Si l'un de ces points essentiels manque à la proposition — c'est-à-dire, si la proposition ne s'adapte pas à la perfection à la forme de plan que vous venez de lire — rejetez immédiatement l'idée, sans hésiter. Toute autre action de votre part vous fera perdre du temps, de l'énergie, et n'ajoutera certainement rien à votre mouvement vers l'avant.

D'un autre côté, si l'idée s'adapte à toutes les exigences des règles, il sera alors temps que vous y appliquiez le test final: *Est-ce que cette idée ou ce plan, fera avancer mon propre programme de croissance ou augmenter mon compte en banque de façon valable.*

Ce n'est qu'au moment où un individu atteindra le stade de développement où il pourra examiner de loin, avec détachement, les points essentiels d'un débouché, qu'il pourra être en mesure de considérer l'ensemble de la proposition sous un angle bien éclairé, et la dégager de tous les effets dévastateurs d'un enthousiasme bien intentionné. mais peu pratique.

Il y a toujours une chance que la suggestion que l'on vous présente soit valable; mais en examinant les points importants de l'idée, les questions que vous vous poserez se résumeront à un élément vital: *Est-ce qu'elle me profite?* Si elle ne l'est pas, ne faites pas « le chien du jardinier », mais essayez de la transmettre à l'une des personnes de votre *compte en banque de contacts* à qui l'idée pourrait servir. En agissant ainsi, vous stimulez avec force le développement de votre propre nom puissant. D'un autre côté, si l'idée que l'on vous présente possède de réels potentiels favorisant le développement de votre carrière ou de votre compte en banque, votre nom d'affaires, par lequel on vous connaît comme étant une personne active, en profitera grandement.

*Dix-neuf façons dynamiques*
*de développer un « nom puissant »*

Vous connaissez déjà certains des points que je vais vous présenter mais je vais les répéter, juste par bonne conscience et pour que vous puissiez utiliser la liste complète comme *tableau de vérification* et auquel vous pourrez toujours vous référer, jusqu'à ce que ces conseils soient fixés solidement dans les habitudes qui doivent vous garder sur la bonne route.

1.  Maintenez un bon crédit.
2.  Faites très attention en faisant des promesses, mais respectez celles que vous aurez faites.
3.  Assurez-vous d'avoir la réputation d'être une personne ponctuelle, si possible à la minute près.
4.  Réagissez avec maturité à tous les événements, qu'ils soient favorables, frustrants ou désastreux.
5.  Restez absolument intègre d'esprit et d'objectif, sans jamais dévier. Si vous n'êtes pas sûr de la signification exacte de ce mot, on peut le définir comme étant une entière honnêteté, une candeur limitée, de la droiture, de la sincérité et de la franchise, mais — une petite touche de discrétion — pas au point d'en devenir rustre.
6.  Spécialisez-vous dans un domaine d'activité pratique qui réponde à un besoin réel. Vous aurez besoin de pratique, de pratique et de toujours plus de pratique, animée d'un esprit de recherche toujours ouvert à des méthodes nouvelles et meilleures.
7.  Les revues commerciales et les journaux professionnels offrent des occasions inhabituelles de développer un *nom puissant*. Le truc, c'est de rechercher sans cesse de nouvelles idées,

ou de combiner d'anciennes idées. Ajoutez-y une petite touche personnelle et vous venez de créer l'idée de fond d'un article tout à fait acceptable pour ce genre de revue — même si vous ne faites que poser un grosse question.

8. En participant à des entreprises civiques, vous êtes sûr de placer votre nom dans les journaux, avec en plus l'avantage que l'on y joindra souvent votre photo.

9. Dans une certaine mesure, les activités de club de service vous présenteront vous et votre entreprise ou votre profession, à un grand nombre d'autres hommes d'affaires de votre communauté.

10. Apprenez à parler de façon cohérente et efficace devant une audience. Vous y arriverez facilement en vous joignant au club des présentateurs ou présentatrices, de toasts de votre région. Et s'il n'y en a pas dans votre région, formez-en un.

11. Soyez écrivain de paragraphes. Charles Carson, conseiller littéraire bien connu à Manhattan Beach, Californie, s'est fait une réputation nationale juste en envoyant au bon moment des citations, des mots piquants et des choses dignes d'intérêt à de grands journalistes et à des commentateurs de la radio et de la télévision et à des éditeurs de journaux.

12. N'hésitez pas à envoyer des lettres de remerciement pour des actes de faveur et de félicitations à des personnes qui ont réussi quelque chose — même si elles ne vous connaissent que très peu.

13. Habituez-vous à découper dans les journaux. Lorsqu'une personne que vous connaissez se fait honorer pour une raison ou une autre, découpez l'article dans le journal et envoyez-le lui. On ne vous remerciera presque jamais de cette courtoisie, mais la valeur de votre nom augmentera considérablement.

14. Les cartes postales sont faciles et rapides à écrire et tout aussi faciles et rapides à lire pour celui qui les reçoit. Je connais un homme qui se tient toujours une bonne pile de cartes sous la main. Il a fait imprimer son nom et sa photo du côté de l'adresse de ses cartes et au haut de l'espace consacré au message, il a fait inscrire *un message personnel de* — et il y ajoute toujours à la main un petit mot qui concerne directement la personne à laquelle il adresse la carte.

15.  Les films de diapositives couleurs ne sont pas bien chers et vous permettent de présenter vos idées d'une façon des plus efficace.

16.  La publicité que vous vous êtes gagnée — c'est-à-dire, un acte qui vous attire la reconnaissance des journaux et des revues, surtout dans le domaine de votre entreprise — est extrêmement précieuse. Mais n'oubliez pas une chose: un seul succès ne signifie pas que vous êtes arrivé. Il vous faut maintenant y ajouter un nouvel accomplissement avant que le public ait oublié l'autre.

17.  La publicité payée sera plus rapide, mais elle est chère, comme tous les débouchés et extrêmement dangereuse, à moins que vous ne contrôliez avec talent et restriction tout ce qui se dit de vous ; cependant, si vous laissez un bon spécialiste en relations publiques s'en changer de manière adéquate, cela peut vous développer un nom puissant d'un million de dollars.

18.  Le risque calculé — c'est-à-dire l'accomplissement d'un exploit téméraire et aventureux — saura parfois, si vous réussissez, vous créer du jour au lendemain un nom puissant très valable, mais il vous force aussi à risquer votre nom, votre carrière et vos possessions actuelles pour le grand saut. C'est un peu comme de jeter les dés au hasard.

19.  Et enfin, ajoutez-y l'ingrédient le plus précieux : celui de la *qualité*. Il y a plusieurs façons d'évaluer la valeur d'une personne, d'un produit ou d'une entreprise, mais le plus important de ces critères dérive d'une combinaison judicieuse de tous les points principaux des mesures décrites ci-dessus, orientée vers le but de maintenir le caractère stable d'un million de dollars. La carrière de Joyce C. Hall, créateur et fondateur de la fameuse gamme de cartes de voeux Hallmark, en est un bon exemple. Cet homme versatile et imaginatif dit toujours que « les gens cherchent toujours à s'élever et non à s'abaisser, dans les coutumes sociales ». Pour confirmer son idée, il a ajouté une couronne de type moyenâgeuse à la marque de commerce de son produit. Si vous acceptez de croire à ce précepte, vous verrez facilement comment ajouter des valeurs d'importance à votre *nom puissant,* en vous forçant à modeler et à former votre vie

familiale, financière et professionnelle, par des actes et un comportement mûrs et responsables.

### Vous pouvez construire vous-même votre propre image

La première chose qui vous permettra de vous créer une image de personne sur laquelle on peut absolument compter est de vous assurer de toujours bien faire les choses. On ne pourra jamais vous nier cet accomplissement évident, surtout si vous le soutenez d'une honnêteté d'intentions absolue et sans reproche.

Une fois que vous exploiterez ces facteurs, vous pourrez suivre l'étape suivante, qui est des plus simple: celle de cultiver et d'améliorer chaque jour vos talents et d'affirmer cette image d'accroissement personnel en trouvant des manières raisonnables *d'exhiber* ce développement régulier de vos talents.

Tout le monde sait que si l'on veut qu'une chose soit bien faite, il faut s'adresser à une personne occupée. Un homme ou une femme constamment ouvert aux retournements favorables de la fortune créera inévitablement l'image d'un accomplissement solide même s'il ne possède juste assez d'argent pour parer à ses besoins quotidiens. Mais il est important de remarquer que cette image d'accomplissement actif, clairement en évidence, possède une puissance d'attraction extraordinaire, car elle exerce une force énorme sur votre lancée.

### L'habitude de se mettre à la tâche

Trop peu de gens reconnaissent l'immense puissance de ce facteur d'accomplissement sur la croissance. Il y a une grande différence entre l'homme ou la femme qui se montre pointilleux et perfectionniste à l'excès et une personne capable de considérer les choses d'un regard plus étendu, en y incluant le lendemain. Même si cet individu est doté du même potentiel que Michel-Ange, dont les accomplissements resteront à jamais dans les corridors poussiéreux de l'histoire, il n'a malheureusement qu'une chance sur un trillion d'y arriver.

Puisque maintenant nous nous occupons de donner à votre nom un attrait d'un million de dollars dans les domaines des affaires, des finances ou du spectacle, il nous faut suivre le chemin le plus évident et le moins périlleux menant vers la notoriété. Pour le faire d'une façon efficace, il faut obéir à une formule, qui est si simple qu'on ne la néglige que trop souvent. Il s'agit de l'expédient pur et simple d'accomplir les choses les plus importantes en moins de temps. Lorsque vous saurez *catalyser* votre plan de travail organisé et imaginatif avec l'élément puissant du regard en avant, votre nom puissant acquerra un tel magnétisme, que vos gains sembleront être un défi des lois de la nature.

La seule entrave à ce plan, c'est l'attitude molle du «Je déteste me glorifier moi-même». Soit que vous le fassiez vous-même, soit que vous payiez un spécialiste à $25 000 par année qui le fera à votre place. Vous serez bien plus compétent pour lancer votre propre carrière, qu'un spécialiste très cher, mais terriblement impersonnel. Je ne veux pas dire que ces gens ne sont pas habiles à édifier une carrière, ni affirmer qu'elles n'ont rien à faire dans le programme, mais vous pouvez réaliser votre propre programme, pour vous faire un nom, avec (1) très peu d'argent. (2) Quelques instants de réflexion dirigée, chaque jour. (3) Un peu d'action pour stimuler les idées que vous aurez développées.

Les techniques répondant à vos besoins propres varieront avec chaque nouvelle situation, mais rappelez-vous avant tout et en y appliquant toutes les règles de bon sens, de l'idée qu'exprimait ce vieux prédicateur noir qui, lorsqu'on lui demandait pourquoi il était si populaire, répondait sans hésiter: «Je leur dis ce que j'allais leur dire. Je leur dis. Et après je leur dis ce que je leur ai dit.»

Quand il s'agit de se faire un nom, ce plan d'action semblera un peu fanfaron, mais, appliquée de façon restreinte, cette méthode profite énormément à l'individu. Ne révélez pas les étapes réelles de votre plan et vous serez en mesure, mieux que jamais de tenir votre promesse.

Retraduisons donc la méthode du prédicateur en un programme qui nous servira à nous:

1. Énoncez clairement ce que vous vous préparez à accomplir.

2. Réussissez-le. C'est-à-dire, FAITES-LE en lettres majuscules.

3. Puis assurez-vous que votre réussite ait la publicité qu'elle mérite auprès des bonnes personnes.

« *Si vous ne réussissez pas du premier coup...* »

Celui qui a énoncé ce vieil adage a dû penser à l'art de se faire un nom. Et voilà pourquoi: *On peut doter un nom d'une solide puissance, en répétant éternellement sa tentative.* Le nom précieux que vous créez ou l'image générale qui émane de vous, provient directement d'un grand nombre de petits essais cohérents, visant à arriver toujours un peu plus haut et qui finalement vous rapporte la *grande récompense* Et vous y arriverez inévitablement, quel que soit le succès ou même le manque de succès des objectifs que vous cherchez désespérément à atteindre. Cependant, même si vous ne réussissez pas aussi bien que vous l'espériez, votre image générale en aura tout de même acquis un peu plus de brillant, surtout si vous arrivez à accepter votre échec — petit ou grand — avec compréhension et bonne humeur. Tout ceci se résume donc à une directive extrêmement importante — vous devez absolument continuer à essayer, en déclarant avec fermeté: *Cette expérience m'a enseigné quelque chose. Je ferai mieux la prochaine fois.*

*Trouvez votre niche et installez-vous confortablement*

En sciences, l'une des premières choses que l'on apprend, c'est que l'eau cherche toujours à atteindre son propre niveau. En retraduisant cette équation en termes humains, on s'aperçoit que l'esprit suit cette même loi naturelle. Il est évident que les anciens s'en étaient rendu compte eux aussi, puisqu'ils ont énoncé le vieux proverbe «Qui se ressemble s'assemble», qui nous a été fidèlement retransmis à travers les générations.

Dans notre langage actuel, nous appelons cette situation *niveau de conscience.* Vous êtes le seul à pouvoir déterminer votre propre niveau, mais les repères entre chaque niveau ne laissent aucune place au doute. Tout d'abord et c'est évident, les gens avec lesquels vous vous associez reflètent la hauteur ou le plateau de vos buts et aspirations, mais, quels qu'ils soient, ayez le courage de faire carrément face au problème, de façon réaliste. Ce sera le point de départ d'un progrès météorique.

Si vous vous rendez compte que vous n'arrivez pas à accomplir entièrement ce que vous vouliez ou à atteindre les grandes richesses que vous désiriez, vous faites mieux de décider d'atteindre ce que vous êtes en mesure d'atteindre, que de finir écrasé par de sombres frustrations. C'est l'immortel Jules César qui, avec toute sa puissance et sa sagesse, a énoncé le premier cette vérité: *Je préfère être le chef d'un petit village ibère que le sous-chef de Rome.*

Ceci ne veut pas dire que vous devez vous abstenir de viser d'autres accomplissements, mais ça démontre l'importance de rester réaliste quant à la place que vous occupez dans l'évolution des affaires de tous les jours — commencez donc dès aujourd'hui à faire quelque chose de positif pour améliorer votre progrès, parce que l'étape suivante révélera tout le potentiel de votre super-personnalité. Il vous suffit donc de diriger votre mode de vie dans la bonne direction.

*Résumé*

1. Tout le monde est en mesure de se construire un nom. Il suffit d'y consacrer chaque jour quelques minutes de réflexion sérieuse.

2. Dès que vous commencez à animer les ingrédients de base qui composent un nom puissant, vous ajoutez d'énormes forces magnétiques à votre expression vitale. Vous y ajoutez également les valeurs essentielles à créer une *super-personnalité* qui saura vous amener partout où vous déciderez d'aller.

3. Vous vous trouvez actuellement en possession des qualités qui vous permettront de construire un nom doté d'une puissance et d'une valeur extrêmes, mais vous êtes le seul à pouvoir les introduire dans l'image générale par laquelle on vous connaît.

4. L'art de bien faire les choses, de les finir à temps et avec aussi peu de friction que possible, sera la pierre angulaire autour de laquelle vous fixerez tous les autres blocs qui formeront votre nom et votre image de succès.

5. La puissance de votre nom provient de l'action d'essayer. Le fait de penser, de planifier et d'accomplir de nouveaux objectifs, quel qu'en soit le degré d'accomplissement, tous ces ingrédients composent la matière de base à partir de laquelle les *valeurs de l'expérience* se transforment en compétence hors-pair.

# Pourquoi la création d'une super-personnalité vous aide à penser en millionnaire

Il est certain que l'homme qui se crée une personnalité dynamique, qui se promène beaucoup dans le milieu des affaires et qui amasse une fortune, recherche continuellement de nouvelles expériences. Si vous doutez quelque peu de cette vérité, vous n'avez qu'à consulter les dossiers de toute bonne agence de personnel.

Dans ce qu'on appelle le bon vieux temps, un homme qui avait la bougeotte était considéré comme un instable. Ce petit thème de propagande terne et sans imagination était confirmé par une philosophie administrative qui craignait de déranger le statu quo.

## La quête d'expériences nouvelles

Depuis la fin de la deuxième guerre mondiale, nous avons été entraînés dans une expansion industrielle extraordinaire. Mais cette puissante lancée de l'activité des affaires a modifié l'attitude des administrateurs professionnels, les hommes qui se déplacent dans la nouvelle économie et ce changement oblige les grands directeurs à réévaluer du tout au tout les vieux critères selon lesquels on engageait et l'on retenait un groupe d'associés haut-placés.

En fait, un homme bien enraciné dans sa communauté sera considéré comme un excellent citoyen par les hommes de sa ville. La vérité, c'est qu'un homme qui reste effacé diminue toutes ses chances d'avancement. Mais, pire encore, il paie très chèrement des qualités de sa personnalité. Cette attitude le perdra pour sûr le jour où une situation exigera de sa part une grande puissance mentale. Lorsqu'un homme accepte une place confortable et tranquille sur une étagère, il rend bien sa famille temporairement heureuse, mais à la longue, le prix qu'il aura payé en gains, en occasions d'accomplissements réels et en énergie magnétique, compensera mal la sécurité temporaire dont il jouit.

## Comment manoeuvrer pour se placer

Le directeur calme et détendu fait maintenant partie intégrante de notre vie économique. Il est toujours prêt à accepter le défi de nouvelles entreprises. Il est toujours prêt à courir des risques soigneusement calculés. Ce n'est pas une circonstance temporaire. Nous en sommes maintenant arrivés à accepter cette situation apparemment fâcheuse comme un mode de vie. La cause de ce changement d'attitude provient de deux développements extrêmement puissants: premièrement, les bénéfices personnels que rapporte la valeur de l'expérience à l'individu; et, deuxièmement, le monde dans lequel nous vivons. Notre nouvelle façon de mesurer les distances en heures au lieu de les mesurer en kilomètres est très déconcertante pour quelqu'un qui raisonne avec des oeillères, mais l'homme ou la femme avant-gardiste est très mobile considère maintenant le monde et, demain peut-être, l'espace, comme son pays.

## Essayer d'ouvrir une nouvelle porte chaque jour

Il y a beaucoup de facteurs pouvant apporter de la valeur à un niveau de conscience d'un million de dollars. Dans l'un des chapitres précédents, nous avons mentionné que le premier prérequis était la *préoccupation de l'argent*. Sans cet ingrédient vital, tout votre dur travail, votre éducation, les grandes connaissances de votre métier ou de votre profession, ou les circonstances favorables que la chance aura pu parfois vous apporter, ne vous aideront presque pas à atteindre le haut plateau de la mentalité de millionnaire. Pour arriver à ce cercle favorisé de conscience, vous devrez arriver à concentrer tous vos talents naturels, la puissance de votre esprit et vos talents spéciaux, en une poussée pleine d'énergie, mais soigneusement contrôlée, vers le succès.

Vous pouvez commencer en ouvrant de nouvelles portes, en essayant de faire certaines choses d'une manière différente, en ayant juste assez confiance en vos aptitudes naturelles pour viser juste un peu plus haut que vos capacités actuelles et en étant toujours ouvert aux occasions que l'on appelle trop souvent des coups de chance. Vous devriez toujours chercher de nouvelles portes à ouvrir.

*Vous pouvez suivre les marées de la fortune*

Pour exercer cette méthode d'accroissement de façon efficace, vous allez vous laisser diriger par trois petits mots: le *but*, l'*intention* et la *responsabilité*.

Une fois que vous aurez allié la pleine signification de ces mots en un seul mouvement vers l'avant, la détermination, pour autant qu'elle reste ferme et qu'elle ne dévie pas, tend à créer l'aura d'un homme qui est actif. Cette attitude ouverte de la part de ses employés a incité plus d'un grand directeur à considérer ses feuilles de dépenses d'un mauvais oeil, oubliant de chercher la cause dans les plans de retraite de la compagnie, qui étaient flamboyants, mais rarement amenés à terme. En fait, ces compagnies-là exercent de fortes pressions sur leurs employés pour qu'ils quittent deux ou trois ans avant d'arriver à la retraite confortable qu'on leur avait promise lorsqu'ils étaient jeunes. La rumeur disant que ces promesses ne sont que des paroles en l'air se propage parmi les jeunes aides et les grands déplacements commencent.

En réalité, ceci s'est avéré être un bienfait pour le milieu des affaires américain et pour plusieurs raisons. Mais avant tout, ce réveil des jeunes administrateurs a non seulement amélioré la qualité du contrôle administratif, mais il a littéralement fait sauter les hauts fonctionnaires hors de leur comportement statique qu'ils avaient entretenu jusqu'à la dernière grande dépression si lamentable.

Ce bouleversement soudain a créé une toute nouvelle race d'hommes, surchargés d'une forme dynamique de responsabilité administrative. Au début, le remède était bien amer, mais les vieux directeurs ont bientôt pris leur retraite ou sont morts et un tout nouveau niveau d'hommes et d'administration a commencé à remplacer les poses anciennes, seigneuriales, statiques de l'ancienne génération de directeurs.

*Combien de temps faut-il rester*

Pour répondre à ce nouveau besoin de mouvement, de nombreuses entreprises florissantes ont commencé à mettre en marché des valeurs d'expérience extrêmement élevées. On m'a dit qu'à rester plus de trois ans dans une usine ou dans une entreprise, on risquait de tomber dans la stagnation.

L'armée avait déjà découvert ce secret profond il y a bien longtemps, mais les employés mirent presqu'un siècle à s'adapter à la vérité obscure de cette loi naturelle . Maintenant, presque tous les niveaux de l'administration se sont mis à développer les atouts de la personnalité propre, la profondeur des valeurs d'expérience et les talents personnels, dans lesquels chacun éprouve une satisfaction personnelle.

Tout ce que nous avons présenté et démontré dans ce chapitre fait partie de la super-personnalité hautement désirable et qui se développe graduellement. C'est une partie importante de tout ce qui stimule un homme ou une femme à *penser en millionnaire*, parce que, tout simplement, cette attitude tend à créer une conscience de l'occasion, quel que soit le nombre d'horizons à contempler, à atteindre et à passer pour arriver à une vue encore plus étendue de l'accomplissement. Ce n'est peut-être pas l'île au trésor proverbiale qui vous attend, mais vous êtes sûr d'avoir implanté en vous-même le principe de l'accroissement. Vous ne végéterez jamais dans un poste ou dans une localité, quels que soient les attraits d'une promesse quelque peu douteuse de sécurité.

*Pierre qui roule amasse de l'argent*

Au bon vieux temps, que nous avons heureusement oublié, on se rappelait des perles de sagesse classiques, telles que « Pierre qui roule n'amasse pas mousse». Il est évident que ces tristes observations étaient énoncées comme vérités fondamentales par une administration trop paresseuse ou, pire, trop incompétente, pour s'adapter à une atmosphère de progrès. Ceci me rappelle toujours la carrière de Jack Matson. Cet homme travailla pendant douze longues années au bout d'une chaîne de production de boîtes de carton. Grâce au long procédé d'attrition de la hiérarchie du moulin, Matson a finalement été promu au poste de surveillant de la section de fabrication. Entre-temps, il avait accumulé une solide connaissance des questions de transformation du papier, si bien qu'un jour, il a décidé qu'il voulait de meilleures conditions de vie pour lui et sa famille et il a posé sa candidature à un poste de vendeur à l'extérieur. On le lui a refusé. Sans se décourager, il a démissionné sur le champ et a déménagé armes, bagages et famille à San Francisco. Une fois installé, il a concentré toutes les valeurs de son expérience dans deux pages soigneusement tapées à la machine et s'est rendu dans une petite usine de fabrication de boîtes de carton dans la région de Bay. Le directeur de la firme a été apparemment assez impressionné par ses capacités pour l'engager et, pour le mettre à l'épreuve, il lui a donné le territoire le plus difficile que la Compagnie essayait de couvrir.

Non seulement sa personnalité s'est épanouie, mais en est devenue brillante. On pourrait même dire que tout son être a fait *éruption*.

Presque dès le début, Matson a ramené des records de vente des plus enviables, au point que très bientôt il a été promu au poste de directeur des ventes et son salaire a dépassé le double de ce qu'il était à son ancien poste d'usine.

Lorsqu'il travaillait dans la production, son statut social n'avait jamais dépassé celui que tout employé d'usine pourrait désirer, mais son nouveau poste l'a introduit très vite dans un club social très fermé. Et comme c'était une personne tranquille et réfléchie, on l'a vu bientôt se tenir avec de grands directeurs du milieu des affaires de San Francisco.

Et voilà que de nouveau nous venons de faire sauter un autre proverbe classique: «nul n'est prophète en son pays». Un simple *changement* peut faire surgir des talents et des facettes d'une personnalité qui avaient précédemment été submergés ou plus souvent encore, lamentablement négligés par les hommes en charge de l'exploitation de la Compagnie.

*L'intensité, c'est la mesure du désir*

La volonté intense d'arriver ou d'accomplir quelque chose, ne représente pas seulement le premier pas vers la richesse, mais la seule énergie qui s'anime d'elle-même et qui ajoute un feu puissant à la manifestation que nous appelons personnalité. Cette force d'attraction naît lorsque vous désirez croître et vous développer physiquement, mentalement et spirituellement d'une façon tellement intense, que tout votre être se met à vibrer, cette poussée d'énergie devient incommensurable lorsqu'elle est renforcée par un intérêt normal en une personne du sexe opposé.

Une fois que la préoccupation pour l'argent devient partie intégrante de l'ensemble de votre personnalité, il est important de ne pas se laisser tromper par un point: le sexe n'est que l'une des cinq forces dynamiques qui servent à forger une personnalité pleine d'énergie. Les autres facteurs importants sont les suivants: l'argent — la puissance — le prestige — et l'accomplissement. La seule raison pour laquelle je cède la première place à l'instinct primitif, c'est qu'il compose la seconde loi de la nature: il domine donc sur les quatre autres, dans l'ordre universel des choses.

Puisqu'il nous faut maintenant vous diriger sur la voie menant à une personnalité dynamique et positivement magnétique et la capacité toujours croissante de dominer toutes les situations auxquelles vous serez amené à faire face, examinons maintenant les cinq étapes fondamentales par rapport à vous et votre progrès vers l'avant.

Tout d'abord, la caractéristique la plus importante à stimuler, c'est l'intensité. Ce qui n'est rien de plus qu'une attention fortement dirigée. C'est comme souffler sur une petite flamme pour rendre sa chaleur plus intense. L'intensité met le feu à l'intérêt que vous portez à un sujet donné. A ce moment, l'enthousiasme pour votre projet se met à grandir comme si toutes les puissances de l'Univers le stimulaient.

Pour atteindre ce premier plateau de conscience, vous devez reconnaître et renforcer le niveau élevé d'énergie vibrante que vous avez créé. Dès que vous avez saigné cette source de puissance, préparez-vous à recueillir toutes les idées valables qui vous sont révélées.

Si vous doutez une seconde de cette déclaration, je vous défie de profiter pleinement des cinq conseils qui suivent. Vous vous rendrez vite compte que vous créez en vous-même toutes les forces positives qui vous amèneront là où vous voulez aller.

1. Isolez et concentrez un intérêt intense, mais restreint, vers une personne du sexe opposé — même si vous êtes marié; dans ce cas, cependant, assurez-vous de maintenir l'intensité de votre cercle familial. Vous allez non seulement vous créer une personnalité nouvelle et vigoureuse d'un million de dollars, mais vous allez rassembler tous les éléments nécessaires à une deuxième nuit de noces.

2. Générez une appréciation intense des capacités, des accomplissements ou des objectifs de l'homme ou de la femme qui est dans votre vie. Assurez-vous toujours de recueillir avec des remerciements sincères, toutes les petites faveurs que l'on vous fait. Préparez-vous toujours un petit compliment de valeur sur l'habillement ou l'apparence; en fait, vous devriez accueillir avec un mot favorable tout effort que la personne qui fait l'objet de vos attentions accomplit en plus des exigences de son devoir. Non seulement ces petits gestes élèveront votre niveau vibrationnel à de nouveaux plateaux de magnétisme, mais ils agiront sur l'autre personne en stimulants moraux extraordinaires. A ce moment, vous aurez créé pour vous-même un plan d'intensité plus élevé et à partir duquel vous pourrez vous lancer dans l'étape suivante menant au cercle favorisé des millionnaires.

3. Cultivez votre voix, de façon à la rendre intense, mais calme et bien modulée. Une voix forte, rude et grossière détruit l'attraction naturelle que peut avoir votre personnalité, dans toutes les directions.

4. Développez un désir intense de grandir, de vous développer et d'accomplir quelque chose de valable. Ce nouvel accomplissement ne devra pas forcément être lié à votre travail. Ça peut être n'importe laquelle de vos activités du dehors, tant que vos intérêts restent positifs. Il est parfois surprenant de constater à quel point le magnétisme de la personnalité peut grandir, juste par le fait d'avoir été élu président de votre conseil de l'église, de votre groupe civique ou de votre club. Dans chacun de ces nouveaux avancements, de nouvelles sources de puissance

et d'autorité ajoutent un certain lustre à votre expression vitale — surtout si votre nouvelle éminence se comporte avec prestance et discrétion.

5. Développez un désir intense d'indépendance. A ce point de notre discussion, vous auriez raison de demander, « Qu'est-ce que ceci a à voir avec la pensée d'un millionnaire ? » Eh bien, voici les faits tels qu'ils sont : Tant que vous n'aurez pas coupé, de façon intelligente et non égoïste, tous liens de dépendance envers maman ou papa, envers des agences gouvernementales excessivement zélées, sauf dans des cas d'extrême urgence, vous ne stimulez pas votre façon de penser de toute l'efficacité dont vous êtes capable et vous ouvrez un trou à votre digue de richesses qui pourrait bien, en quelques heures, drainer toutes les valeurs positives de votre esprit.

A première vue, certaines personnes pourraient trouver cette déclaration juste un peu trop forcée, mais lorsqu'elles en comprendront la pleine vérité, elles se rendront compte que la dépendance sous toutes ses formes — pour contenter soit un parent, soit votre propre sens de sécurité — tend à affaiblir la fibre morale, dissoudre l'intégrité de l'esprit et à terriblement amoindrir la qualité fondamentale de la confiance en soi qui, après tout, est la caractéristique-clé de la pensée qui vous mène loin.

## Les dix piliers qui soutiennent une personnalité puissante et magnétique

En plus d'un intérêt sexuel contrôlé avec attention, il existe dix facteurs permettant d'améliorer le potentiel de la force hautement activée de l'attraction personnelle. Certains de ces facteurs sembleront vraiment trop terre à terre pour qu'on les considère, mais en les considérant tous sous un angle bien éclairé, ceux qui vous paraissaient un peu étranges ne vous paraîtront plus si terre à terre. Par exemple, le premier article de notre liste de mesures de soutien est *l'eau*. Par habitude instinctive, nous considérons tous l'eau comme un élément servant aux habitudes quotidiennes comme boire, cuisiner, se laver et se baigner. Arrêtons-nous un instant sur le fait que l'eau nettoie également de l'intérieur — et lorsque nous n'en buvons pas assez pour qu'elle puisse accomplir cette fonction essentielle, tout notre mécanisme physique diminue d'efficacité, amoindrissant ainsi les puissances du magnétisme personnel. Il est donc essentiel que vous vous habituiez à boire chaque jour de six à huit verres d'eau pure, propre sans rien y ajouter — ou même plus, s'il le faut.

*L'alimentation.* On ne répétera jamais assez que ce que nous mangeons peut nous donner de la vie. Certains goûts et habitudes étranges de nourriture peuvent drainer les forces d'attraction plus rapidement qu'il faudrait, pour les créer, aux puissances mentales les plus puissamment dirigées. Voici donc la règle: Asseyez-vous tranquillement, trois fois par jour, devant un assortiment équilibré de fruits, de légumes et de protéines. Si vous n'êtes pas sûr des besoins de votre corps, consultez votre médecin de famille ou un diététicien valable, qui ne soit pas rempli d'idées fantaisistes sur l'alimentation.

*Le repos.* Je comprends mal pourquoi il est nécessaire de mettre l'emphase sur ce besoin physique fondamental. Bien trop d'hommes et de femmes ruinent leur vie juste parce qu'ils négligent ou, pire encore, bâclent cette partie de la routine quotidienne. Mais la règle est très simple : quand vous êtes fatigué, faites un petit somme ou prenez une bonne nuit de sommeil. Seule une extrême urgence devrait pouvoir vous écarter de cette habitude.

*L'enthousiasme.* Encore une de ces exhortations qui semble plus stupide chaque fois qu'on la répète. Considérez juste un instant le fait que le magnétisme personnel se base sur les trois premiers articles de notre liste, mais qu'ils ne prennent force entière et hautement active que lorsque vous les animez d'une intensité d'intérêt que nous appelons enthousiasme. C'est un état d'esprit favorable, par lequel, tout simplement, vous vous passionnez d'une manière raisonnable pour quelque chose et vous restez comme ça, en vous *contraignant.* C'est un catalyseur qui fond votre personnalité en ce que l'on surnomme souvent une *boule de feu.* Vous pouvez vous aussi répondre à cette description, à condition d'animer l'article suivant de la liste d'une forte résolution.

*La projection.* C'est une caractéristique qu'il faut apprendre et constamment stimuler. Il n'y a pas longtemps, aux finales du concours de beauté Miss Hawaii, à Honolulu, j'ai vu une jeune fille très jolie et extrêmement photogénique se classer au troisième rang uniquement parce qu'elle n'avait jamais appris à PROJETER sa personnalité plus loin que la longueur de ses bras. Ceci lui aurait été suffisant pour sa satisfaction personnelle, mais cette délicieuse jeune femme a dû ce soir-là apprendre de façon pénible qu'elle ne savait pas se projeter au-delà des lumières de la rampe. Il est très facile de cultiver l'art de projeter sa personnalité, mais c'est le prochain article de la liste qui vous servira à l'implanter.

*Le sens de l'humour.* Pour froncer les sourcils, il faut utiliser de manière concentrée tous les muscles du visage, alors que pour sourire, il suffit de tourner les coins de la bouche et de se détendre. A ce moment, tout ce qui nous entoure devient plus rose. De ce point-ci à l'autre, il n'y a qu'une simple tournure d'esprit — du négatif au positif. Puisque le fait d'avoir l'air sombre requiert l'utilisation de tous les muscles faciaux, on peut dire sans hésiter que chaque cellule de votre corps se trouve dans une confusion qui perd de l'énergie lorsque vous êtes «en bas» et que votre comportement est négatif. Pour contrecarrer cette influence dévastatrice, gardez toujours à portée de main une répartie bien à propos, une réponse brillante ou un mot sincère d'encouragement (en évitant les platitudes déplaisantes), quelle que soit la cause du découragement.

*Comment placer les pierres angulaires de la personnalité.* Nous voilà arrivés au stade de notre entreprise de construction d'une personnalité vibrante, où nous devons placer les *pierres angulaires* qui vont soutenir tout l'édifice. Le premier de ces fondements, c'est un intérêt solide et équilibré. En pratique, c'est que nous allons partager notre attention intense et dirigée entre toutes les valeurs que nous pourrons retirer du travail, des loisirs, des spectacles et des intérêts culturels. Sans cette intensité *passionnée*, une bonne partie de la forte étincelle de magnétisme personnel peut se perdre ou, pire, s'effriter. De plus, si notre personnalité ne contient pas cet élément important, nous éprouverons bien de la difficulté à animer avec succès l'étape suivante de notre programme d'accroissement.

*Les accomplissements culturels.* Et ceci ne signifie pas que vous devez cultiver un talent spécial dans les arts, la musique, la poésie ou la littérature classique, mais que vous devez animer le *Vous* que vous transformez lentement en une personnalité dynamique, d'un intérêt ardent pour ces avantages culturels.

*Les talents spéciaux.* Nous voici arrivés à un plateau nouveau et passionnant, où nous commençons à concentrer sur la répétition constante d'un talent spécial, jusqu'au jour où l'on vous reconnaîtra comme étant le *meilleur au monde.* Une fois que vous avez implanté tous ces facteurs de soutien d'une *super-personnalité,* vous êtes prêt à vous engager dans la dixième et dernière étape.

*La vie sociale.* C'est-à-dire participer à des activités de groupe de toutes sortes, dans lesquelles hommes et femmes se rencontrent pour se divertir et se détendre. Ça peut être une danse, un party d'un genre spécial, un thé de démonstration, une vente de charité ou un récital culturel. L'important, ici c'est la fraternité dans tous ses aspects positifs. L'échange de plaisanteries, de rencontrer de nouvelles personnalités, de participer à des jeux qui vous détendent — tous ces éléments servent de catalyseurs additionnels à la formation d'une expression humaine positive, vibrante et attirante, pleine d'énergie magnétique.

Dans l'étape suivante, nous allons étudier une phase inhabituelle du procédé de pensée plein de potentiel élevé du millionnaire et que l'on néglige souvent en le considérant comme peu important, mais dès qu'on en comprend la vérité profonde, elle peut s'avérer aussi explosive qu'un pétard dans un tonneau de gazoline. Vous pouvez dès aujourd'hui joindre ce talent exceptionnel à votre ensemble de trucs pour faire de l'argent.


*Résumé*

1. Il est absolument certain qu'un intérêt sexuel bien contrôlé joue un rôle essentiel dans l'apport de puissance à une super-personnalité en voie de développement.

2. Une attitude d'intensité contrôlée peut créer un magnétisme physique dynamique qui saura élever n'importe quel homme ou femme au-dessus de l'ordinaire.

3. Les accomplissements culturels peuvent ajouter beaucoup aux puissances d'attraction de n'importe quel homme ou femme, pour autant que l'on s'en serve de façon proportionnée aux autres facteurs fondamentaux de la personnalité.

4. Toute personne qui pense, qui planifie et qui travaille dans le but, même fortuit, de s'améliorer, ajoute une grande puissance à l'ensemble de son expression.

5. Il devient chaque jour plus évident qu'une personne qui agit avec sang-froid et hardiesse a bien plus de chance d'atteindre le succès qu'un homme ou une femme qui se contente de *rester bien tranquille* à une place qui n'offre aucun défi d'accroissement ou d'augmentation de la responsabilité. En ayant peur du changement, on risque de ne pas réussir à se déplacer avec la marée de la fortune.

# Comment développer le courage de penser en millionnaire

Pour s'engager dans toute ligne d'activité avec l'intention d'y atteindre un grand succès, il faut non seulement beaucoup de sang-froid, mais tous les atouts de personnalité qui composent l'ensemble de la pensée d'un millionnaire. En fait, il s'agit de suivre les quinze étapes à la perfection et de façon très vigoureuse. Autrement dit, il faut développer chacun des conseils présentés dans la cinquième étape et les animer de toute l'énergie qu'apportent tous les traits de caractère essentiels, pleinement soutenus par les avantages qu'offre la *loi naturelle*.

## Il faut du courage pour être un pionnier

Quand nous étions enfants, Jimmy Doolittle, habituellement très réticent, me disait qu'il était décidé de devenir aviateur. Il parlait comme un vrai pionnier, parce qu'en ce temps-là, c'était toute une aventure que de voler en avion. Je me suis rappelé de sa déclaration emphatique le jour où j'ai entendu aux nouvelles que le Général James Doolittle avait conduit un groupe d'aviateurs intrépides dans une mission extrêmement dangereuse au-dessus de Tokyo, pendant la deuxième guerre mondiale.

Une autre fois, un camarade du secondaire m'a dit qu'il allait laisser tomber l'école. Nous étions alors en dixième année. Il voulait s'implanter un domaine dans la grande région désertique de Indian Wells Valley. Comme de ce temps-là, je ne portais pas mes « lunettes roses », je n'y voyais rien de plus que de grandes terres sablonneuses et des buissons du désert. Le temps a passé et le petit village de Inyokern s'est réveillé un beau matin avec *Harvey Field*, l'éclaireur de la grande Naval Ordnance Test

Station de China Lake, pratiquement dans leur cour arrière. Mon ami le cancre était prêt. Les années précédentes, il avait acheté toutes les terres sur lesquelles il avait pu mettre la main, acheté le seul magasin de la ville avec des fonds qu'il avait empruntés, pris la position de maître de poste, envoyé une soumission de distributeur d'une grande compagnie de pétrole et édifié tout un parc de caravaning avec services complets. Bien entendu, ses prédictions l'ont énormément récompensé, tout simplement parce qu'il a agi avec courage, Quand il a pris sa retraite, il n'y a pas longtemps, il vivait dans une abondance des plus confortables.

Il faut du *courage* pour être millionnaire — pour sortir de la masse et parader devant le cortège, surtout si vous ne connaissez pas trop la route qu'il suivra. Mais lorsque vous embrassez du regard toutes les variables avant d'agir, vous vous rendez mieux compte de la situation. Vous pensez en millionnaire lorsque vous soupesez les risques par rapport aux bénéfices éventuels avant de vous lancer dans l'abîme de demain, mais seulement après avoir accumulé une bonne armée de faits qui couvriront les mesures que vous vous préparez à prendre.

Je suis sûr que mon camarade de secondaire se rendait parfaitement compte de tous les dangers de son aventure dans le rude désert et que Jimmy Doolittle savait, au moment de quitter le sol, qu'il se trouvait à la merci des lois de la gravité et que seul l'air soutenait la machine fabriquée par des hommes et qui, aux premiers temps de l'aviation, était de qualité douteuse; et pourtant, ces deux hommes se lancèrent dans l'action en ayant entièrement confiance en eux-mêmes. Et ces deux hommes gagnèrent haut la main. Le premier s'est fait une fortune considérable et le second a gagné son million, tout en s'assurant une bonne place dans l'histoire.

*Comment connaître*
*les sept forces dynamiques du courage*

Il y a sept caractéristiques d'une importance vitale composant la personnalité totale d'un homme ou d'une femme courageux. Il vous suffit d'essayer d'unir ces points à votre mode de vie actuel pour savoir à quel point vous méprisez la peur — et également combien il vous faudra prévoir de travail pour arriver à penser vraiment en millionnaire.

Le *premier* point essentiel, c'est un point de vue totalement détaché, mais examinateur. Autrement dit, chacune de vos actions devrait être dirigée par une demande insatiable de faits.

Le *second* point essentiel, c'est de savoir soupeser et comparer tous les avantages et les désavantages de chacune des actions que vous vous préparez à accomplir.

Le *troisième* point essentiel, c'est de s'arracher aux liens collants de l'indécision ou de l'hésitation, une fois que vous serez arrivé à une conclusion d'après les renseignements que vous auront apportés les deux premiers points.

Le *quatrième* point essentiel, c'est d'apprendre à évaluer les tendances de l'intérêt humain. Pour ce, essayez donc de lire des publications telles que le *Wall Street Journal* ou le *U.S. News and World Report.* Les commentateurs syndiqués vous aideront beaucoup, à condition que vous soyez prêt à lire les représentants établis de l'extrême droite, de l'extrême gauche et ceux qui se tiennent sagement au centre. C'est la seule méthode que je connaisse actuellement qui vous apporte une perspective équilibrée des événements à venir.

Le *cinquième* point essentiel est de se créer et de se conserver, un *compte capital de risque,* que ce soit de $5.00 ou de $5 000 000 — le principe est le même. Il le faut. En résumé, soyez toujours à la recherche de « Miss Occasion » et n'attendez pas toujours qu'elle frappe elle à votre porte — cette vieille amie a bien des portes auxquelles vous pourrez aller sonner.

Le *sixième* point essentiel, c'est d'apprendre à faire valoir une règle économique fondamentale: *N'hésitez jamais à vendre ou à conclure un marché, si vous pouvez en retirer du profit.* Combien d'hommes et de femmes ont dû péniblement apprendre que d'attendre la *grosse occasion,* c'est comme vouloir attraper la lune.

Le *septième* point essentiel, c'est de cultiver et entretenir un trait de caractère fondamental: Ne vous arrêtez jamais pour compter vos gains et vos pertes. Le mouvement en avant est la seule énergie que vous devriez appliquer à votre demande insatiable d'accroissement, en esprit ou en millions.

*Pourquoi il faut du courage*
*pour s'adapter à la conscience du millionnaire*

Est-ce que j'ai déjà dit qu'il fallait du courage pour implanter et entretenir la conscience d'un million de dollars? Et c'est peu dire. C'est un fait qui ne disparaîtra pas de si peu. Je pense à cinq hommes et une femme, qui ont tous le privilège de faire partie du groupe favorisé des millionnaires — de la classe de 1968. Deux d'entre eux suivent les principes de l'accroissement que je suis en train de vous présenter. Leurs fortunes s'accroissent lentement, mais sûrement. Les quatre autres, tous des hommes, s'écrasent confortablement, je dirais même craintivement, au milieu de leurs possessions et ils ont peur de grandir — ils perdent leur temps à se lamenter sur les défauts de notre système fiscal, sur les temps qui changent et sur les maladresses inmanquables et éternelles de nos politiciens. La stagnation mentale qui a pris possession de ces hommes autrefois brillants en devient pathétique.

Il y a plusieurs années, j'ai persuadé l'une des mes connaissances — millionnaire contre son gré — de commencer à s'introduire dans les heures lumineuses du lendemain *jour après jour*. Au début, il a hésité longuement à suivre mon conseil de se mettre de côté un capital de $25.00. Ça représentait vraiment une grande aventure, pour lui, mais une fois que cet homme a trempé ses pieds dans les vagues de l'avenir, rien ne l'a plus arrêté. Maintenant c'est un homme heureux, plein d'énergie, recherchant avec zèle toutes les nouvelles occasions possibles et, surtout, il ne reste plus couché sur les oeufs de sa fortune comme une mère poule en attente.

*Créez-vous une aura de courage —*
*ce sera votre couverture de protection*

La personne courageuse rayonne toujours d'une caractéristique spéciale. Un certain «quelque chose» qui semble l'entourer comme un écran contre les fausses tensions, les préoccupations et les fardeaux du moment ou les tromperies telles que «les belles grandes occasions que vous devez accepter à l'instant, sinon vous les perdez pour toujours.» Rappelez-vous bien de ceci: *Il n'existe aucune offre légitime qui ne soit aussi ouverte demain qu'elle ne l'est aujourd'hui.*

Lorsque vous présentez au monde cette apparence de *rocher solide*, de front que même les événements sérieux ne peuvent faire broncher, vous rayonnez d'une attitude incisive qui ne se laisse pas dérouter par des arguments superficiels. En outre, c'est un facteur de soutien puissant pour la qualité hautement désirable de décision, que nous devons rechercher et que nous devons avoir atteinte, à la fin de la quinzième étape.

## *Vous pouvez créer votre propre écran*

En plus des sept forces dynamiques du courage que vous devez implanter grâce à une puissante détermination, vous devez ajouter à l'ensemble de votre personnalité trois autres attitudes. A mesure que vous absorberez les causes fondamentales qui créent un niveau de conscience d'un million de dollars, vous remarquerez, en traversant avec confiance chaque nouvelle étape vers la richesse, la prise de conscience mentale et le discernement spirituel, que ces traits de caractère que nous vous suggérons seront répétés de plusieurs façons différentes. Et nous le faisons délibérément. C'est comme de réunir les pièces d'un puzzle. Chaque nuance spéciale d'application prendra sa place à un moment donné et vous saurez que vous êtes arrivé.

Voici, le plus brièvement possible, les trois actions mentales:

1. S'il faut le faire, faites-le maintenant — ou aussitôt que possible. Faites comme le coureur automobile vrombissant le long de la piste à une vitesse incroyable — cherchez votre occasion et faites du devoir désagréable un accomplissement.

2. Résistez avec courage et détermination à toute atmosphère de haute pression qui exige que vous preniez une décision du genre «quitte ou double». A ce propos, il est bon de se rappeler que tous les vendeurs de *belles grosses occasions* utilisent cette méthode avec des centaines de variations.

3. Lorsque vous tenez en main tous les faits, triez-les, tirez votre conclusion, animez-les du vrai feu puissant d'un *oui* ou *non,* puis accrochez-vous à la barre sans jamais dévier.

Le courage se manifeste dans une grande variété de formes et de tailles et on l'exprime dans tout autant d'accomplissements différents.

Cependant, nous devons aussi savoir qu'en nous aventurant bien au-delà de la prudence ordinaire, nous pouvons gagner une réputation éternelle et quelquefois un accroissement extraordinaire de nos richesses.

Je me souviens très bien de la conversation que j'ai eue avec le très regretté R. Anderson Jardine, le petit évêque qui a risqué sa vie, sa carrière d'ecclésiastique et sa maigre fortune, pour soutenir son droit d'agir selon ce que lui dictait sa conscience, lorsqu'il est sorti des rangs, seul de tous les membres de l'église anglicane, pour marier le Duc de Windsor à Wally Warfield Simpson. Quand je lui ai demandé pourquoi il avait agi ainsi, il m'a simplement répondu: « Howard, je savais que c'était juste. »

« Comment? » lui ai-je demandé.

« Parce que j'y ai pensé pendant des jours et puis j'ai prié. » Et il m'a déclaré ceci d'une manière si modeste, que j'ai su alors qu'il venait de se tailler une niche historique dans un roc solide.

Les années suivantes, chaque fois que je recevais un petit mot de sa part, je me souvenais de sa déclaration si simple. Il terminait tous ses commentaires brefs mais joyeux sur ses affaires d'un « Meilleurs voeux *et* prières de la part de l'Évêque. »

Je me rappelle d'une autre occasion où j'ai manqué de courage et où j'ai reçu des reproches bien mérités. Je parlais à un groupe de grands écrivains lors d'une réunion générale de *The Manuscripters*, peu de temps après avoir consenti à retirer une déclaration extrêmement provocatrice que j'avais faite dans mon livre intitulé *How To Create The Big Idea*. J'ai essayé dans ma conférence d'expliquer pourquoi j'avais accepté de la retirer, mais je crois que ma défense était assez faible. A la fin de la réunion, Stella Terrill Mann, auteur du fameux grand classique *Change Your Life Through Prayer*, est venue me voir avec un air qui, j'en suis sûr, exprimait plus que de la déception et m'a dit: « Howard, vous devriez toujours avoir le courage de dire ce qui est vrai. N'hésitez jamais à dire tout ce que vous savez, quand vous êtes sûr de votre position. »

Quelques années plus tard, j'ai eu une raison pressante de me rappeler des paroles de Mrs. Mann. Sur une période de deux ans, cinq grandes revues ont publié des articles puissants et hauts en couleur, qui confirmaient, grâce à des découvertes scientifiques sérieuses, l'opinion que j'avais décidé de saborder. Si, à cette époque, j'avais eu le courage de soutenir mon opinion, j'en aurais beaucoup profité.

Je ne vous suggérerai qu'une seule restriction : Lorsque vous sortez des ornières de la croyance populaire, qu'il s'agisse du domaine biblique, politique ou économique, soyez absolument sûr de vos faits. Si vous sortez à moitié fou, avec une opinion mal conçue, vous ne vous attirez que le désastre.

## Comment reconnaître la qualité du courage

Il y a très longtemps, le vénérable Confucius a déclaré: « Voir ce qui est juste et ne pas le faire, c'est un manque de courage. »

Jusqu'à présent, toutes les étapes que nous vous avons présentées pour apprendre à penser en millionnaire, représentent les fondations solides et un cadre de traits de caractère mentaux que vous devez cultiver pour atteindre un certain niveau d'aisance. A partir de là, votre projet de construction très spécial devrait animer l'ensemble de votre expression vitale de certaines caractéristiques importantes et absolument indispensables. Autrement dit, il vous fait maintenant raffermir et renforcer les qualités essentielles qui devraient vous aider à acquérir et à conserver une grande richesse.

Il faut du courage pour résister à la tentation, pour désobéir aux conventions, être un non conformiste, non pas dans le sens de la *bizarrerie*, mais de l'état d'esprit. Par exemple, si vous essayez de copier les Jones, non seulement vous manquez de maturité, mais vous exhibez un manque certain de confiance en vous-même et la confiance en soi est, sans aucun doute, le facteur de soutien fondamental du vrai grand courage.

La qualité de courage a plusieurs facettes, mais celle qui vous intéresse le plus en ce moment, c'est la détermination puissante et imperturbable de grandir chaque jour, non seulement en richesse, en puissance mentale et en vigueur physique, mais en une forte inclination qui transforme spirituellement toute votre expression vitale. Sur ce point, nous vous suggérons de ne pas cultiver une inclination purement religieuse, qui ne se manifeste que trop souvent par de simples prières vaguement pieuses et sans profondeur ou, pire encore, par un service artificiel avec tout le pompeux et le cérémonieux qu'exige la religion. Mais vous devriez, avec plus de force connaître les qualités spéciales d'un être qui sait sentir les qualités spirituelles du concept de Dieu, telles qu'elles se manifestent dans une symphonie, dans la grande littérature, dans la beauté pacifique de la nature ou dans l'expression extérieure du caractère d'une personne réellement courageuse. C'est ainsi que vous pourrez être en harmonie avec les puissances miraculeuses de l'Esprit Infini.

### Comment compenser les variables du hasard

Il faut du courage pour se plonger dans l'avenir avec une certaine confiance. Pour compenser les dérivations possibles du hasard, vous devriez toujours considérer un facteur. Celui du «timing». Dans l'étape suivante, vous allez apprendre à reconnaître la valeur du temps, à planifier avec à-propos vos entreprises selon les variables qui peuvent toujours se manifester, lorsque vous ouvrez la porte sur le lendemain avant tout le monde.

### Résumé

1. La qualité du courage a beaucoup de facettes, mais celle qui vous concerne en ce moment est la détermination de grandir un peu chaque jour en argent, en puissance mentale et en vigueur physique.

2. Nous devons constamment animer et faire vibrer les sept forces dynamiques du courage, si nous désirons faire croître notre conscience.

3. Il faut une force morale et un courage réels pour s'ajuster au plateau de la pensée et de l'action du millionnaire.

4. En vous créant une aura de courage, vous vous fabriquez un écran protecteur qui résiste à tous les événements défavorables.

5. Il faut du *courage* pour être un pionnier, mais c'est la seule façon de penser et d'agir qui permet d'élaborer un haut niveau de plans orientés sur l'argent.

# Comment gérer son temps pour qu'il vous rapporte beaucoup d'argent

La première chose à faire, c'est de vous organiser. Avant de pouvoir planifier de façon efficace l'utilisation de son temps, il est nécessaire de s'ajuster parfaitement à la préoccupation de l'argent. A première vue, cette directive pourra sembler inutile, mais lorsqu'on s'arrête pour y penser, la vérité émerge des plus clairement.

Examinons un instant la carrière de Jim Dutton. Apparemment, Jim s'était taillé une place confortable dans une immense fabrique d'avions. Il n'avait qu'une éducation moyenne ou peut-être même un peu moins que ça, puisqu'il n'avait pas fini sa dernière année de secondaire. Il s'était marié jeune, peut-être même un peu trop jeune, mais maintenant qu'il était responsable de quatre petits Dutton, sa vie était devenue une routine bien ordinaire — il rentrait à la maison tous les soirs à cinq heures, prenait un dîner survolté avec sa famille, regardait une émission ou deux de télévision, durant lesquelles tout le monde réclamait une chaîne différente, un téléphone par-ci par-là de la part d'associés ou de membres de la famille, et puis au lit à dix heures.

Pas mal ennuyant, non?

Il semble que Jim ait pensé la même chose un beau jour, car sa vie a changé complètement du jour au lendemain. Il ne savait même plus par où commencer. Mais il a vite résolu ce problème. Le chef de son service gardait toujours sur son bureau une lignée impressionnante de livres sur les affaires. Parmi ceux-ci s'en trouvait un intitulé: HOW TO BE A BETTER SUPERVISOR. Jim a demandé s'il pouvait l'emprunter pendant quelques jours. On le lui a tendu sans un mot. Lire à la maison au milieu de tout le remue-ménage familial a été un vrai exercice de discipline, mais il a résolu le problème en s'enfermant dans la salle de bain, puisque ceci semblait être la seule place privée qu'il pouvait obtenir.

Une semaine plus tard, il ramenait le livre et en demandait un autre. Cette fois, le directeur lui en a tendu un gros, intitulé *Problems in Management* et, bien que le directeur plaisantait à moitié, Jim a accepté le défi. L'un des chapitres du nouveau livre traitait en profondeur de la gestion du temps et, dans cette section, une phrase l'a frappé fortement: « La gestion efficace du temps commence par votre degré d'habileté à gérer votre temps libre. »

Jim a pris cette phrase à coeur et, une semaine plus tard, il consacrait une heure ou plus de ses soirées à lire tout ce qu'il pouvait se procurer sur l'industrie de l'aéronautique *et à planifier son travail à l'usine.*

Bientôt, la petite section de Jim a commencé à produire plus que la normale. Bien entendu, le surveillant n'a pas mis de temps à s'en apercevoir. Mais ce bonhomme très valable souffrait un peu d'insécurité. Tout ce qu'il pouvait penser, c'est que Jim cherchait à lui voler son poste. Et, selon son procédé limité de réflexion, il n'y avait qu'une chose à faire — se débarrasser de Jim en le mettant chez un autre surveillant. Il y a réussi facilement, puisque la personne à qui il a fait cet honneur cherchait justement un homme valable.

Il est advenu ainsi qu'à son nouveau poste, la tendance de Jim de planifier son travail avec soin n'a pas été seulement remarquée, mais appréciée. Bientôt, le surveillant a été promu à la tête du service et Jim est devenu surveillant. Mais il a eu sa grande surprise l'année suivante — le chef de service a été promu vice-président et Jim s'est installé dans son ancien bureau — et tout ceci parce qu'il s'est mis un jour à planifier son temps personnel, et a appliqué l'idée à son travail quotidien.

Ceci semblera peut-être une sur-simplification de « comment réussir en affaires sans faire d'effort », mais en réalité, les gens qui planifient vraiment leur temps personnel sont si peu nombreux qu'il n'y a pas vraiment de concurrence.

*Sept plans fondamentaux d'« utilisation du temps »*
*qui peuvent transformer votre vie du jour au lendemain*

Vous pensez peut-être que c'est trop de travail de faire un inventaire personnel de l'utilisation de votre temps, mais cette corvée deviendra vite un plaisir, si vous pensez que chacune de vos actions est un pas vers une grande richesse, un bel accomplissement ou votre promotion tant désirée.

Il y a toujours une chance pour que vos plans ne donnent pas de résultats, tant que vous ne vous mettez pas à y appliquer des « tests » réalistes. Essayez d'abord d'appliquer ces conseils sur l'importance de votre production quotidienne de travail — et si même un seul ou deux de ces conseils s'appliquent à votre situation personnelle, non seulement vous penserez vraiment en millionnaire, mais vous serez en train de construire la base d'un succès extraordinaire — le vôtre.

*Les priorités absolues.* On a énormément écrit et parlé sur les *priorités*, mais pour vous, le vrai test se résume à ceci: Est-ce que le temps que jc consacre à ce projet me rapporte de l'argent maintenant? Aucun autre critère ne s'applique à cette situation.

*La détermination d'objectifs de travail.* C'est étrange, mais personne ne s'accroît en esprit, en muscles ou en argent avant d'avoir établi par écrit des objectifs faciles de travail, que l'on établit comme partie intégrante et permanente du programme d'accroissement prévu.

*Le programme d'accroissement quotidien.* Chaque minute de chaque jour que vous consacrez à votre horaire de travail devrait être utilisée dans le but de vous enrichir. Pour y réussir de façon efficace, vous devez placer correctement, dans vos périodes de temps, les blocs constructifs de l'augmentation, que vous l'ayez gagnée ou non.

La première partie de cette augmentation devrait provenir des services que vous rendez aujourd'hui et la seconde devrait provenir de vos démarches intelligentes, de vos bons investissements et de votre prédiction de la direction des intérêts humains.

*La planification d'horaires pour réduire le gaspillage d'effort.* Ce conseil est bien difficile à suivre, mais en commençant par les pertes de temps évidentes, on s'habitue vite à prévoir l'intrusion des moments non productifs et à les contrecarrer par des mesures toutes prêtes. Bien que toutes les compensations que vous prévoirez ne sauront pas régler parfaitement la situation ; une chose cependant est sûre — vous aurez ajouté une ou même plusieurs poussées quotidiennes à votre mouvement en avant, au lieu d'accumuler des pertes de temps coûteuses.

*Apprenez à avancer malgré les contre-coups.* Il est bien sûr que des événements imprévus viendront toujours déranger vos meilleurs plans, mais un opérateur intelligent les attrape au passage, ramasse les morceaux à temps et essaie d'en retirer quelque chose, même si ce n'est qu'une affirmation puissante telle que «On en retirera bien quelque chose de bon».

*Comment déterminer des échéances d'accomplissement réalistes.* Au début, on aura tendance à viser trop loin, à aspirer à un niveau trop élevé ou à en planifier trop à la fois. Le remède est facile à acquérir. Prenez simplement les heures, les jours ou les semaines que vous vous êtes imposés pour l'accomplissement de votre plan ou de votre projet et divisez-les en programmes d'accomplissement quotidien. C'est-à-dire, efforcez-vous avec acharnement d'accomplir un nombre X d'étapes vers votre objectif pendant la période de temps que vous vous êtes imposée — et, si possible, dépassez cette augmentation, même si elle est toute petite.

*Comment devenir votre propre ingénieur d'«organisation et de méthodes».* Cette étape est si simple que je me demande toujours pourquoi on la néglige si souvent. Peut-être que cette idée est si simple, qu'on a tendance à la comprendre de travers. Pour appliquer une approche positive à votre programme, vous pouvez suivre plusieurs voies. Dès que vous les concrétisez au maximum de leur potentiel, vous êtes bien parti. Commençons par votre horaire de travail quotidien.

1. La journée de travail. C'est-à-dire : le nombre d'heures que vous pensez consacrer à votre travail durant une journée donnée, que ce soit deux, quatre, ou dix.

2. Prévoyez de faire votre travail créatif aux heures où vous vous sentez le plus créatif, que ce soit le matin, à midi ou à minuit.

3. Revoyez les plans que vous avez faits pour la journée et

rayez-en les articles qui ne vous rapportent pas d'accroissement, de prestige ou d'argent.

4. Réunissez vos démarches par similitudes, telles que la région, la communauté ou le territoire, pour ne pas faire deux fois le même voyage, le même effort ou prendre les mêmes risques. Puis, arrangez les autres articles en une unité productive d'accomplissement progressif.

5. Parfois, vous devrez modifier ou limiter les démarches que vous aviez prévues, pour de nombreuses raisons. Lorsque ceci vous arrive, il est toujours bon d'avoir quelque chose à portée de la main pour remplacer l'article de votre liste qui ne s'est pas réalisé tel que prévu.

6. En commerce, on entend toujours un vieux slogan qui dit, « Pas d'échanges »; mais lorsqu'on organise son temps, c'est une obligation. Des urgences surgiront, des rendez-vous seront annulés, des décisions seront changées ou des intempéries insurmontables vous bloqueront. Quand ceci vous arrive, ayez toujours une démarche à y substituer.

7. Apprenez à placer vos corvées de routine à des moments où on ne pourra pas les éviter ou à un moment de la journée où votre taux d'énergie est bas.


## Les besoins d'argent d'aujourd'hui — et de demain

En planifiant les besoins de faire de l'argent d'aujourd'hui, ne négligez pas les valeurs de temps tout aussi importantes de la planification pour le lendemain. Il vous faut à tout prix projeter vos objectifs, vos buts d'accomplissement et vos ambitions dans l'avenir. Pour le faire d'une manière efficace, stimulante et créative, assurez-vous que chacun de vos pas défie vos capacités actuelles.

Le besoin de projeter vos talents et votre compétence au-delà de vos accomplissements d'aujourd'hui n'est autre que le fait de profiter d'une loi naturelle puissante qui vous aidera d'une manière des plus efficaces chaque fois que vous invoquerez son plein potentiel. La stratégie, c'est de toujours viser juste un peu plus haut que le point d'excellence dont vous vous complaisez actuellement.

*Les six facteurs positifs du temps — et un petit avertissement*

En préparant un horaire quotidien ou un programme d'accroissement réaliste, il faut respecter six variations du mot «temps». Comme on ne néglige que trop souvent la vraie signification de ces variantes, il serait peut-être bon que nous vous les présentions en détails, en y joignant quelques commentaires qui pourraient vous aider à les réunir à vos propres plans et entreprises:

*Le «timing»*. Posez-vous la question: «Est-ce que ce que je commence présentement est bon pour moi maintenant?» «Si je me lançais avec force dans cette entreprise, est-ce qu'elle me profiterait au maximum?» «Est-ce que cette entreprise s'accorderait avec mes autres plans et leur donnerait une poussée vers l'avant?»

*Sans limite de temps*. Posez-vous la question: «Est-ce que ce à quoi je pense serait bon aujourd'hui, demain ou l'année prochaine?» Autrement dit, est-ce que l'entreprise à laquelle vous pensez fait tellement partie intégrante de l'ordre des choses humaines qu'il n'y a pas besoin de la réaliser entièrement aujourd'hui?

*Au moment opportun*. Ce point-ci se rapproche assez du «timing», mais ce n'est pas exactement la même chose. La différence, c'est que ce que vous considérez aujourd'hui comme une entreprise intelligente doit s'accorder aux tendances de l'intérêt public. Vous devriez faire très attention à ceci, parce que vous pourriez vraiment faire dévier vos plans et vos objectifs en n'évaluant pas complètement ce facteur important.

*Utilisation du temps*. Voilà ce que vous devez vous demander: «En me lançant dans cette entreprise, est-ce que je consacre mon temps à mon meilleur avantage possible?» En étudiant votre projet avec beaucoup d'attention sous le microscope de cette question, vous découvrirez souvent que votre idée a plus de trous qu'un crible.

*Le temps*. Tel que déterminé par une période de fonctions. C'est la période que l'on vous a laissée, par une élection ou une promotion, pour que vous montriez ce dont vous êtes capable. Si vous planifiez votre temps avec zèle, imagination et efficacité, vous pouvez prouver que vous êtes capable d'endosser des responsabilités plus importantes. C'est la grande occasion, que la plupart des politiciens et des hommes en fonctions négligent en faveur du prestige social et des émoluments de leurs fonctions.

*La pertinence.* Ceci signifie se trouver au bon endroit, au bon moment et entièrement prêt à affronter sa belle grande chance. Ceci me rappelle l'histoire d'un soldat au Japon, qui a écrit à sa petite amie, chez-lui, qu'il « sortait avec » une fille du pays. La question lui est revenue directement: « Qu'est-ce qu'elle a que je n'ai pas? » « Rien », a répondu le jeune soldat, « mais elle l'a ici. »

Et maintenant le petit mot d'avertissement. Le mot, ici, c'est *usé par le temps*. Il peut être aussi trompeur que l'expression « bon sens pratique ». C'est l'abri derrière lequel trop de gens, sans imagination, essaient de cacher leur insécurité. Ce n'est pas parce que ça a profité à papa que vous pouvez être sûr que le chemin prouvé par l'expérience que vous vous préparez à suivre est solide, juste parce qu'il provient des souvenirs brumeux du passé. « *Il est temps de changer* » criait le slogan d'une campagne politique d'il y a quelques années. Je me demande souvent pourquoi tant de compagnies aujourd'hui tendent à ignorer ce point des plus importants lorsqu'il est temps d'évaluer les services, les biens, l'emballage, la publicité, les politiques d'organisation et les réactionnaires qui servent parfois de directeurs et / ou d'administrateurs.

### Le temps d'accrocher la fortune

Une personne occupée intelligemment, c'est une personne qui a le temps de faire les choses. Cet homme ou cette femme est toujours capable de présenter une fiche d'accomplissement remarquable.

Pourquoi?

Tout simplement, parce que cet individu planifie de façon régulière et persistante, sa manière d'exploiter son meilleur atout — le temps.

La première fois que j'ai entendu l'expression « Organisez-vous et prospérez », c'était de la bouche de Miss Harlow, mon professeur de quatrième année de la vieille East Vernon Grammar School à Los Angeles. Cette femme merveilleuse m'a enseigné beaucoup de choses dont je me suis rappelé longtemps, dont, plus que tout, la valeur du *temps*.

Dans un programme d'accroissement personnel, il est indispensable que la réflexion précédant tous les projets soit dirigée par les points fondamentaux suivants:

1. Qu'il soit toujours pratique — ou, pour le dire plus franchement — que vos objectifs restent toujours axés sur l'argent. Vous ne devriez tolérer aucune autre façon d'agir.

2. Qu'il soit toujours positif — c'est-à-dire, ne laissez rien entrer d'autre dans votre conscience, que la pleine pensée du succès final.

3. Forcez le mouvement. Dès que vous avez animé un projet, continuez à pousser avec force vers votre but. Et ce, pas juste de temps en temps, mais tous les jours.

D'abord, vous devez dire «pas de pensées négatives». Et vous devez appliquer ce règlement. Cependant, dans cette attitude de vainqueur, assurons-nous que ce programme d'accroissement vous convient parfaitement à vous et à vos entreprises.

Et maintenant nous voilà arrivés au *coup de choc*. Trop de gens rêvent de devenir millionnaires ou tout au moins des personnes aisées, mais, puisque nous savons que sept millionnaires seulement émergent chaque jour dans le flot de la concurrence commerciale — sept sur une population d'environ deux cent millions de personnes — nous avons tout un choc, lorsqu'on nous force à nous apercevoir que nous nous trouvons devant un *chaînon manquant* à notre programme d'accroissement.

En préparant ce travail, nous avons dû poser la question à beaucoup de gens et aucune de ces personnes n'était parfaitement consciente d'un fait fondamental quant à la valeur du temps ou de ce qu'il faut pour établir un bon horaire de travail. Ça semble être très ennuyeux de *se préoccuper de chaque minute*, mais disons-nous ceci: Pour atteindre le statut de millionnaire, il est vraiment nécessaire de reconnaître la valeur de la *fraction de temps* que l'on appelle *minute*. Pour certains, ça ne représentera que des *petits sous*, mais si vous vous arrêtez un instant pour considérer cette vérité inévitable, cette minute que vous traitez tellement à la légère vaut en réalité *un dollar* d'après nos valeurs actuelles. Ce chiffre, multiplié par soixante, égale soixante dollars par heure et, en un jour de dix heures, arrive au grand total de *six cents dollars*. Et c'est à ce niveau de préoccupation de l'argent que vous aspirez dès aujourd'hui.

Est-ce que vous comprenez la situation maintenant? Vous devriez, car tant que vous n'attribuez pas cette grande valeur à chaque minute que le compte en banque de votre vie vous fournit, vous ne *pensez* pas vraiment *en millionnaire*.

Cette augmentation ne vous viendra peut-être pas la première semaine, ni même la première année, mais le fait essentiel est le suivant: Vous devez atteindre et conserver ce plateau de préoccupation, en relation avec la valeur que vous attribuez à votre temps, avant de pouvoir remarquer vraiment un accroissement réel.

En langage clair et ordinaire, ça signifie que vous devez planifier votre travail, puis travailler à votre plan. Ceci aussi vous semblera être un cliché vieux-jeu, mais j'ai aussi de bonnes vieilles nouvelles à vous apprendre... Ça marche !

En termes d'action, ceci signifie que vous allez élaborer un programme de rendez-vous bien rapprochés les uns des autres, des horaires planifiés avec soin, des démarches organisées avec confiance en soi et surtout, qu'une attitude d'attente des plus positive doit dominer chacune de vos actions.

Vous savez déjà certainement, par expérience frustrante, que les meilleurs plans que font les hommes peuvent être dérangés. Bien trop de gaspilleurs de temps vont vous importuner. Les terrains de golf vous feront des petits clins d'oeil invitants ou une autre cigarette sur un café «réchauffé» dévoreront vos précieuses minutes; mais si vous réussissez à dominer ces obstacles, vous êtes sur la bonne voie de l'accomplissement.

*Comment planifier vos périodes de repos*

Un petit mot d'avertissement, cependant. Il est bien beau d'être doté d'un esprit décidé qui ne se laisse pas dérouter, mais le sens du *juste milieu* est tout aussi important. Lorsque vous avez rempli l'horaire de votre journée de travail, *détendez-vous de façon créative* avec votre famille, un bon livre, un peu de bonne musique ou un autre plaisir qui vous rafraîchisse et vous sorte complètement de vos tâches quotidiennes. Revenons une fois de plus à une vieille phrase, « A toujours travailler, les enfants s'abrutissent » — autrement dit, on n'atteint pas l'accroissement désiré à moins d'inclure des pauses de détente à sa journée de travail.

### Les bonnes relations humaines sont indispensables

Pourquoi apprendre l'art et la science des relations humaines? Parce qu'elles réduisent les frictions et augmentent l'efficacité de l'utilisation du temps. Et ceci semble être la pierre d'achoppement majeure de la plupart des gens qui désirent atteindre un grand succès, mais c'est un art que l'on peut apprendre facilement. Souvenez-vous toujours qu'une réponse douce calme la colère. Efforcez-vous de trouver dans chaque personne que vous rencontrez ou avec laquelle vous travaillez une qualité qui compense ses défauts. Rappelez-vous qu'un sourire, un salut modérément cordial, une remarque appropriée et à propos (une taquinerie, un petit commentaire comique ou un mot d'encouragement) réussit souvent à déplacer des obstacles énormes.

### Comment le fait de penser grand améliore l'utilisation du temps

Dans notre prochaine étape vers la richesse, nous allons explorer la puissance dynamique que contient le mouvement mental délicieux par lequel on pense bien au-delà des capacités actuelles. À première vue, ceci pourra ressembler à une définition déformée des rêveries irréalistes, mais en l'utilisant réellement, vous développez votre imagination et stimulez votre croissance, *à condition* de prendre note par écrit des idées qui vous viennent. Vous pouvez plus tard trier ces rêveries — comme si vous passiez votre or au crible — et, en éliminant les *rêveries folles*, vous avez toujours une chance de découvrir une vraie pépite. En suivant la prochaine étape, vous allez non seulement être obligé de mieux utiliser votre temps pour en profiter au maximum, mais vous allez monter rapidement vers le haut plateau de l'accomplissement.

*Résumé*

1. Chaque minute de votre temps vaut *un dollar*. Vous préparez-vous maintenant à percevoir l'argent qui vous est dû?

2. Commencez dès aujourd'hui à vous *préoccuper de vos minutes* et observez votre compte en banque, votre prestige et votre accomplissement s'accroître.

3. L'une des meilleures façons d'utiliser vos minutes de manière efficace, c'est de développer un plan d'action jour par jour, mois par mois, année par année, *en mettant l'accent sur l'augmentation*.

4. Votre premier pas sera de vous organiser vous-même, puis d'organiser votre temps et enfin vos plans, pour élaborer un programme d'accomplissement bien ordonné.

5. Affirmez dès maintenant et avec beaucoup d'intensité: «Je sais que les sept plans fondamentaux d'*utilisation du temps* peuvent, une fois mis en train, transformer ma vie du jour au lendemain.»

# Comment exercer l'art de penser grand

Nous sommes tous conscients de la valeur ou même de la nécessité, de la répétition. Nous savons aussi que l'exercice perfectionne. Le but de l'accomplissement répété devrait être une aspiration vers la perfection, qu'il s'agisse d'un morceau de musique, un rôle dans une pièce de théâtre ou ce qui profite beaucoup plus, une démarche visant un bénéfice. Le talent que l'on développe en pensant toujours au-delà de ses capacités actuelles est assez pratique, parce que cet exercice fait partie de l'entraînement de base pour gagner une grande fortune.

Vous apprenez d'abord à penser en millionnaire en suivant, étape par étape, le programme que nous vous exposons dans ce livre et ensuite vous apprenez à jouer le rôle du millionnaire — *en répétition seulement* — jusqu'à ce que vous ayez atteint la richesse à laquelle vous aspirez.

Pour répéter une série donnée de procédures visant à créer un programme magnétique de marketing, un nouveau forfait attrayant, l'achat d'une propriété, l'organisation d'une entreprise commerciale, la constitution d'une corporation ou une centaine d'autres entreprises, il faut s'engager dans trois étapes essentielles; sinon, vous invitez la frustration ou pire encore, le désastre.

*Apprenez toutes les règles fondamentales.* Pour y arriver efficacement, vous allez choisir un sujet qui stimule actuellement votre intérêt et apprendre tout ce que vous pouvez sur les lois, les procédures, les dangers, les tendances et l'histoire, s'il y en a une, qui forment la toile de fond essentielle du projet auquel vous pensez. «Regardez avant de sauter», est une belle phrase élémentaire, mais il y en a une autre, tout aussi valable, lorsque l'on cherche à gagner beaucoup d'argent, et c'est la directive suivante: *exercez-vous avant de sauter.*

*La valeur de la course d'essai.* C'est le simple expédient de revoir par écrit toutes les démarches du projet que vous avez en tête, puis de prendre contact avec tous les bureaux municipaux, de comté, provinciaux ou fédéraux qui pourraient y être impliqués ou les banques, les compagnies de services ou les représentants juridiques qui pourraient faire partie de votre programme de développement ou de votre idée, *sans révéler votre objectif.* Rappelez-vous d'une chose: vous ne pensez pas vraiment en millionnaire, tant que vous n'agissez pas en millionnaire.

*Maintenant, la répétition générale.* Une fois que vous aurez atteint ce stade avancé du développement de votre préoccupation pour l'argent, vous aurez acquis un certain fonds de capital, une meilleure idée de ce que signifie être millionnaire et un réservoir bien agrandi de valeurs d'expérience. A ce stade de votre marche vers l'accomplissement, vous répétez en vue du moment où *vous y arrivez.* Et c'est une vérité absolue, que vous risquiez votre argent ou que vous fassiez une chose qui risque de transformer votre vie. Et, une fois de plus, nous apprécierons la vérité d'une phrase qui n'est que trop souvent ignorée: «Les petites choses mènent à la perfection, mais la perfection n'est pas une petite chose.»

## La dynamique de l'aspiration

Il existe cinq manières éprouvées d'animer vos sessions d'exercices. La seule limite que nous vous suggérons, c'est de garder vos projets au niveau de la probabilité. Et la raison en est bien simple. L'asile de fous est maintenant plein de Napoléons. N'ajoutons rien à la confusion qui entoure les désillusions de grandeur. Je vous présente cette idée de discipline personnelle, parce que certains des exercices que je vais vous suggérer paraîtront étranges à des gens qui ne sont pas experts encore dans l'art de penser grand dans le but d'améliorer l'exercice pratique des affaires ou les démarches créatrices.

## Comment jouer à un jeu et faire démarrer un projet d'un million de dollars

Il y a des années, la mode d'un jeu de cartes de société appelé

« Pit » dominait toute la nation. Pour autant que je me souvienne, le jeu était basé sur l'exploitation du marché aux grains de Chicago. Déjà à cette époque, hommes, femmes et enfants aimaient penser grand; les concours créaient une atmosphère excitante et haute en couleurs et, un peu trop souvent, très bruyante. Certains de nos voisins nous suggéraient gentiment de déménager en plein milieu du désert du Sahara.

Plus tard, à notre propre époque, un nouveau jeu appelé *Monopoly* surgissait sur la scène américaine. Tout d'un coup, tout le monde manipulait des marchés en bourse, des obligations, des propriétés et de grandes entreprises commerciales, qui dépendaient du hasard capricieux d'une carte, du roulement d'un dé ou de la rotation de la roue de fortune.

Je vous suggère donc de créer votre propre jeu, que vous appellerez avec originalité *Mon million de dollars*. Mais cette fois-ci, vous répétez en vue de la grande démarche de votre vie. La règle de votre jeu sera de souligner toutes les démarches, les stratagèmes, les dangers et les possibilités de l'objectif que vous désirez atteindre, puis de faire rouler un dé, retourner une carte ou faire tourner un cadran pour savoir ce que vous ou votre cher adversaire va devoir faire. Après y avoir joué quelques fois, vous connaîtrez bien tous les caprices de la fortune qui pourraient saboter vos plans et par conséquent vous serez bien mieux préparé à contrecarrer les attaques que l'on pourrait lancer contre vous ou contre vos projets. La raison en est bien simple. Les gens et les événements sont imprévisibles. Par conséquent, le seul moyen d'y parer, c'est d'être parfaitement prêt.

Voilà. Maintenant je peux vous présenter les cinq forces dynamiques dont j'ai parlé plus haut.

1. En développant votre *jeu du millionnaire*, mettez-vous à penser en millionnaire — non pas en rêveur, mais d'une façon très pratique. C'est la seule façon possible de lancer votre programme d'accroissement.

2. Réunissez tous les items *positifs* et *négatifs* qui pourraient passer sur le chemin de votre fortune. Ces sujets d'information devraient regrouper toutes les démarches légales, financières, pratiques ou les attaques détournées qui pourraient nuire ou profiter à votre plan.

3. Mettez-vous à ordonner les renseignements que vous aurez accumulés en un programme de progrès. L'entreprise à laquelle vous pensez devra respecter certaines procédures logiques, en commençant par la toute première étape que nous vous présentons dans ce livre et, plus tard, enrichie des deux étapes finales qui doivent vous donner l'équilibre intellectuel essentiel à vous introduire dans la classe des millionnaires.

4. *Trouvez un projet.* Autrement dit, concentrez votre intérêt sur un objectif, un accomplissement, une entreprise ou une propriété sur laquelle vous allez investir. En fait, toutes les routes qui vous mèneront à votre objectif seront bonnes.

5. Prenez un paquet de cartes 3 x 5 et inscrivez-y, à la main ou à la machine, tous les facteurs pour et contre, un par carte, jusqu'à ce que vous ayez inscrit tous les renseignements que vous aviez accumulés sur le plan que vous vous proposez. Pour mon premier jeu, il m'a fallu deux paquets de 100 cartes. Il vous en faudra plus ou moins, suivant la nature de votre projet. Et n'oubliez pas d'y inclure tous les désastres naturels, les guerres, les mouvements de masse, les émeutes, les grèves ou tout autre événement négatif.

Maintenant, vous êtes prêt à jouer.

Vous pouvez arranger vos cartes d'après ce que vous pensez être la meilleure manière d'atteindre votre objectif. Vous pouvez les battre et les prendre au hasard, si cette méthode vous aide à penser. Vous pouvez les prendre l'une après l'autre et les retourner devant vous (et devant un adversaire, pour que ça soit plus intéressant) ou vous pouvez en plus lancer une paire de dés pour déterminer le nombre d'étapes qu'il vous faudra pour amener votre projet à bien — en cherchant constamment à améliorer votre plan pour mieux progresser ou comment contrecarrer ou parer aux attaques adverses.

## Un homme a regardé plus loin que l'horizon

Un génie extraordinaire du nom de Sanford Collins est en train de réunir les derniers morceaux d'un projet si vaste qu'il en défie l'imagination. Toute l'histoire a commencé il y a deux ans, alors que cet homme téméraire a obtenu discrètement les droits d'exploitation d'un morceau de campagne rocailleux et accidenté près de la ville de Riverside et a annoncé avec douceur que ce serait l'emplacement de l'Exposition Internationale Californienne de 1969.

Puis il a organisé une conférence de presse sur les lieux et, avec plus de courage que le meilleur des millionnaires, s'est rendu à sa propriété et, sous les yeux des hauts dignitaires de la région, de la presse et d'un vaste assortiment de citoyens vaguement intéressés, a planté quelques poteaux dans le sol en déclarant que ces jalons indiquaient les emplacements de certains édifices, concessions et salles d'exposition, qu'il se préparait à construire.

Bien entendu, lorsque les notables de la ville, les grands hommes d'affaires de la région et les leaders civiques les plus importants sont plus ou moins revenus de leur surprise, la tempête a éclaté. On s'est opposé au projet, on en a nié la valeur, on a déclaré qu'il était absolument irréalisable, on a tout fait sauf de le jeter hors de la ville.

Dans cet état de confusion incroyable, la petite ville voisine de Corona a profité du désordre pour annexer la propriété aux limites de la ville et hors de Riverside, où le projet avait été conçu à l'origine.

Des hurlements d'angoisse se sont élevés de tous les coins de Riverside. Entre-temps, Collins avait déménagé son quartier général du Mission Inn de réputation internationale à Corona. Grâce à toute cette publicité, des millions et des millions de dollars sont arrivés de toutes parts, y compris une longue liste de corporations des plus importantes demandant à faire partie de la future mine d'or.

Ça, c'était penser *grand,* doublement et triplement grand.

Essayez de le faire une fois, vous aussi, à condition, bien sûr, d'avoir bien préparé votre affaire et de réaliser votre projet grandiose avec toutes les qualités de courage présentées dans la Neuvième Étape.

*Pourquoi il faut du courage pour entrer dans l'avenir*
*— dès aujourd'hui*

Certaines personnes se trompent en appelant génie cette démarche dans l'avenir. N'acceptez pas cette définition. Vous pouvez dire que ce n'est rien de plus que du vrai courage ou, si vous préférez un terme moins élégant, du cran. Aujourd'hui, la plupart des gens vous suivront jusqu'au bout. C'est cette attitude courageuse qui a fait de l'Amérique la plus grande nation au monde, malgré toutes ses imperfections et les hurlements de protestataires à l'esprit limité, qui vendraient leurs droits de naissance pour une aumône.

Il est vrai que les éléments qui composent les caractéristiques spéciales du génie proviennent du désir de se placer en avant de tout le monde, mais à la longue, c'est celui qui est fortement déterminé qui ramasse tous les jetons.

*Pour penser grand — pensez à de grandes images*

Le grand écrivain et conférencier Harold Sherman m'a enseigné un jour une leçon précieuse. Un jour, devant un café, nous nous rappelions quelques-unes des expériences qu'il avait faites en écrivant avec Claude Bristol le livre maintenant réputé, intitulé *TNT*, publié pour la première fois par Prentice Hall, Inc. en 1954. «Howard,» me dit-il avec emphase, «j'ai travaillé pendant des années avec des groupes civiques et commerciaux et par les contacts que j'ai eus avec ces gens, je suis arrivé à la conclusion que les gens qui n'atteignent pas un grand succès échouent, parce qu'ils ne se font pas une *assez grande* image d'eux-mêmes.»

Peu de temps après, Sherman a écrit, pour la Chambre de Commerce d'une petite ville de l'Arkansas, une brochure intitulée «*L'image du succès*». Pendant tout le temps où la ville a été stimulée par la nouveauté de cette notion, elle a connu une grande activité — et a progressé quelque peu, mais après quelques mois, on a oublié la vérité de ce message inspiré et la communauté est retombée dans sa léthargie habituelle. Ce qui prouve une chose essentielle: En pensant grand, vous pouvez vous propulser dans une action dynamique et vous laisser emmener vers un accomplissement extraordinaire par la Loi de l'inertie. Malheureusement, la tendance à «rester au repos» fait aussi partie de cette vérité fondamentale de la physique.

Le Président Lyndon B. Johnson, au début de sa carrière politique, a déclaré à un confident, «Je n'ai jamais cessé de m'imaginer dans la Maison Blanche». Il est vrai qu'il y est arrivé par un concours de circonstances tragiques, on se demande facilement si cet objectif décidé et imaginé à maintes occasions, n'a pas fait démarrer certaines des forces puissantes de la *puissance de l'esprit.*

Quand nous étions encore au secondaire, Robert Knapp, qui est devenu plus tard un professeur réputé du Cal. Tech. et ingénieur conseil pour le Manhattan Project, m'a dit, « Je ne vais pas me contenter de rester simple ingénieur. Je vais devenir l'un des plus grands ingénieurs conseil du pays. » A sa mort, il était vraiment devenu l'éminence qu'il avait vue dans sa *grande image.*

Le jour où Charles Carson, conseiller littéraire réputé, m'a dit très simplement qu'il allait devenir écrivain, je dois avouer que je ne me suis pas senti très impressionné, mais lorsqu'il a continué en disant: « Je ne vais pas seulement être écrivain, je vais être considéré comme l'un des plus grands auteurs conseil de mon domaine », j'ai compris qu'il était sérieux. Ceux qui ont comme moi suivi sa carrière météorique savent qu'il s'est taillé une place dans le soleil littéraire.

### « *Les pensées, ce sont des choses* »

On a répété cette phrase si souvent qu'elle en perd son sens, mais quand je l'ai entendue pour la première fois de la bouche du Professeur Goddard, à l'époque où je suivais des cours spéciaux à l'école d'administration, cette vérité m'a beaucoup frappé. Mais quand Goddard a continué en disant « Vous êtes ce que vous pensez être », je ne l'ai pas compris du tout — du moins pendant un certains temps. Ce n'est que vingt ans plus tard, en suivant le cours de *Sciences de l'esprit* avec le Dr. Gene Emmett Clark, que j'ai vraiment pris conscience de ce message. Dr. Clark a déclaré : « Ce que vous pensez aujourd'hui deviendra votre niveau d'accomplissement dans un an. »

Je peux vraiment dire que mon esprit a régénéré à partir du moment où j'ai absorbé la vérité de la déclaration du Dr. Clark.

### *Votre Ego vous attrapera si vous ne faites pas attention*

La qualité de savoir penser grand est puissante et il est bon de la cultiver — à condition de le faire dans le but pratique de vous créer une personnalité équilibrée. Nous vous présentons cette notion pour une raison fondamentale: *Le fait de penser grand est provocateur, passionnant, stimulant et souvent trop stimulant, mais il faut savoir le contrôler.*

Malheureusement, on a plutôt tendance à s'élancer dans les grands espaces, sans penser à ceux avec lesquels on vit et on travaille. Cet égoïsme aveugle a la mauvaise habitude de s'associer à des rêves incommensurables et il en résulte que la personne affligée de ce mal perd contact avec la réalité. Vos droits à un grand égoïsme et de toute façon, à n'importe quoi, finissent là où commencent ceux de votre voisin.

Avant de vous engager dans la prochaine étape essentielle, efforcez-vous d'assimiler cette vérité, avec tout ce qu'elle implique. Pour le dire de façon plus directe, vous ne réussirez jamais à animer le plein potentiel de l'étape suivante, qui vous attend et qui est prête pour que vous l'utilisiez, sans le gouvernail qui maintiendra l'équilibre de votre égoïsme personnel. En fait, c'est la pierre angulaire des quatre dernières étapes vers une vie pleine de richesse et de succès.

### Résumé

1. S'il vous semble impossible de répéter en vue du succès, essayez quand même. Puisque *l'exercice perfectionne* les acteurs, les musiciens ou les athlètes, il est tout aussi important d'exercer le talent de penser en millionnaire.

2. La *course d'essai* ou session d'exercice, peut être extrêmement valable dans les domaines du marketing, de l'administration, de l'achat de terrains ou de l'organisation de corporations ou d'entreprises commerciales. Même les inventeurs se servent de cette technique pour faire démarrer leur *subconscient*. Le grand avantage caché de cette méthode, c'est que bien souvent, les défauts de pensée ou de procédé, apparaîtront très clairement.

3. La plupart des gens considèrent l'exercice des muscles comme étant nécessaire à la vigueur physique, mais vous êtes-vous habitué à chercher constamment de nouvelles connaissances, de nouveaux talents ou à augmenter votre préoccupation de l'argent ou même de plus grandes responsabilités?

4. Commencez dès maintenant à planifier et à élaborer votre propre *jeu du millionnaire. L'exercice pratique* de cette méthode animera votre carrière d'une grande énergie, sur le chemin royal qui mène à la richesse.

5. Le fait d'apprendre à *penser grand* vous aidera énormément à apprendre à vous considérer comme un grand homme ou une grande femme à l'université, en affaires, dans votre profession ou dans votre métier — puis *concrétisez* cette image par un accomplissement extraordinaire. Mais pour contrôler cette entreprise, nous vous suggérons d'attacher votre égo à une boule de plomb.

# Comment se lancer à pleine vapeur sur une chose

Oui, vous aussi, pouvez devenir millionnaire. Tout ce que vous avez à faire, c'est d'entretenir une fournaise sous vos buts et vos désirs. On peut pousser cette chaleur imaginaire avec presque n'importe quoi. Tout peut partir d'une ambition que vous nourrissez secrètement depuis des années. Elle peut exploser d'une forte motivation pour devenir un succès énorme dans quelque domaine d'activité ou émerger d'un passe-temps qui vous révèle tout d'un coup un potentiel personnel que vous n'aviez jamais soupçonné.

Et puis, bien sûr, maintes grandes fortunes sont nées d'un moment de grande colère sur une situation qui avait besoin d'être corrigée ou on peut créer, avec un peu d'imagination, un nouveau service au moment d'une panne quelconque ou développer une invention à partir d'un besoin urgent. Si vous désirez vous informer un peu mieux sur la meilleure façon de commencer, je vous suggère de lire mon dernier livre, *Energizing the Twelve Powers of your Mind*.[1]

Mais voici, pour l'instant, cinq façons de faire vous-même le feu — chacune d'entre elles saura pour sûr faire fondre le plomb, pour que vous puissiez vous lancer dans le courant intense d'un succès qui se développe régulièrement.

1. D'abord, il vous faut isoler votre motivation. Une fois que vous l'aurez déterminée, aidez-la à s'amplifier jusqu'à ce qu'elle atteigne son point d'ébullition.

2. Il est important que vous évaluiez correctement votre position actuelle sur les valeurs de votre expérience, de votre

---

[1] West Nyack, New York: Parker Publishing Company, 1966

éducation, de vos ressources, de votre argent, de votre travail, de votre milieu et de votre ville.

3. Il faut absolument que vous utilisiez tous les instruments de travail que vous avez à votre disposition dès maintenant, même si vous n'en avez que très peu et que vous commenciez à vous accroître.

4. Élevez votre préoccupation de l'argent au niveau du million de dollars. Si vous le désirez, vous pouvez vous servir de la formule que j'ai si souvent répétée dans mes livres et mes conférences: «Je suis aujourd'hui en possession de tout l'argent que je veux et il se trouve dans ma poche, à la banque ou en crédit disponible qui n'attend que le moment où je vais m'en servir.»

5. Efforcez-vous, avec détermination, d'augmenter vos possessions en argent, en expérience, en connaissance et en talents, quotidiennement, tout en déclarant avec emphase: «Tout ce que je fais sert à mon accroissement.»

*Comment vous lancer dans les neuf actes
qui vous aideront à entretenir une chaleur intense*

Si, par hasard, aucune des idées proposées ne vous a intéressé au point de vous lancer dans l'action, je vous suggère de suivre ces quelques directives pour commencer. Lorsque vous aurez trouvé une étincelle de départ, vous pourrez revenir au plan à cinq étapes que nous venons de vous présenter, puis continuer:

*Première action.* Organisez-vous une étude complète de votre intérêt passionné.

*Deuxième action.* Si vous êtes déjà assez compétent dans votre travail et que vous avez l'intention de développer et d'élargir le domaine de vos talents et de faire accélérer votre progrès, remettez-vous simplement à une étude très étendue ou à un projet de recherche sur tout le domaine de votre travail, votre métier ou votre profession. Cette action a pour but de vous faire découvrir un trésor insoupçonné de bonnes occasions.

*Troisième action.* Consultez avec attention un grand dictionnaire sur les mots qui pourraient renfermer une clé cachée dont vous pourriez bien vous servir sur votre chemin de la découverte.

*Quatrième action.* Établissez une liste de toutes les occasions possibles d'accroissement pendant que vous êtes en quête d'idées, même si elles vous paraissent trop terre à terre ou trop folles.

*Cinquième action.* Obligez-vous à lire au moins un livre intéressant par semaine, surtout s'il traite de l'objet de vos recherches.

*Sixième action.* Lisez toute la publicité qui paraît dans les journaux et les revues d'affaires ou traitant de sujets connexes. Je vous avouerai franchement que la plupart de ces annonces sont ennuyeuses et manquent d'imagination, quand elles ne sont pas carrément trompeuses, mais vous découvrirez de temps en temps une vraie perle dans le tas, qui vous permettra de vous lancer vers de nouveaux domaines d'accomplissement.

*Septième action.* N'ayez pas peur d'ouvrir des portes étranges. En pratique, ça signifie que vous devez toujours être prêt à accueillir les occasions qui se cachent dans les nouvelles. Enquêtez alors auprès des personnes et des firmes appropriées, en joignant toujours une enveloppe affranchie et pré-adressée.

*Huitième action.* Apprenez à vous exprimer couramment et avec concision. La meilleure façon d'y arriver, je pense, est de vous inscrire à votre club local d'annonceurs. S'il n'y en a pas dans votre ville, écrivez au siège social de Santa Ana, Californie, pour leur demander comment en créer un.

*Neuvième action.* Visez toujours, toujours un peu plus haut que vos capacités actuelles de gagner de l'argent, d'acquérir de nouveaux talents, de l'expérience et des objectifs, car c'est la vraie attitude d'une personne qui pense en millionnaire.

*Comment un homme a découvert*
*une source jaillissante de réactions du public*

Si vous avez de la difficulté à vous passionner pour quelque chose, je vous suggère de considérer un moment le flot de réactions qui a accueilli la création spontanée du *Beadle Bumble Fund* par James Jackson Kilpatrick, éditeur du *Richmond News Leader*. Il semble que cet honorable gentleman de la presse bouillait littéralement chaque fois qu'il découvrait une nouvelle stupidité officielle. Pour aider à diminuer le fardeau financier qui pesait sur les épaules des citoyens infortunés, l'éditeur Kilpatrick a créé le « Beadle Fund » (en faisant toutes ses excuses à Charles Dickens).dans le seul but de satisfaire à un besoin humain urgent. Au moment de concevoir son *idée lumineuse,* il ne pensait pas du tout à faire de l'argent, mais la simple mention que l'on avait besoin de petites donations pour aider à développer le fonds a rapporté des contributions provenant de tout le pays.

La dernière fois que j'en ai entendu parler, l'éditeur Kilpatrick essayait d'annuler son idée, mais sans le vouloir, cet homme avait ouvert une source jaillissante d'intérêt humain. Selon toute logique, l'étape suivante était de créer une compagnie d'assurance pour aider à abattre les maladroits incompétents qui s'étaient infiltrés dans notre service public, ainsi que nos bureaux d'élections. Si vous désirez une explication complète des techniques nécessaires à faire démarrer ce projet, je vous suggère de retourner en arrière et de relire le cinquième chapitre de ce livre: Cherchez à savoir dans quelle direction les gens se dirigent et amenez-les à bon port.

Il est évident qu'il y a d'autres situations que la colère noire ou la frustration qui ronge lentement, qui recèlent de vraies grandes idées pour faire de l'argent. Ces plans, ces idées et les schémas d'appareils nouveaux sont souvent bien cachés aux yeux de tous, sauf à ceux des chercheurs d'occasions, mais malgré cela, ils sont prêts et n'attendent que le moment où *vous* les utiliserez. Dès aujourd'hui!

La base de cette quête très spéciale peut bien sûr être poussée au point d'exploser en une grande colère, mais même dans cet état mental presque électrique, il est indispensable de maintenir l'attitude d'un général qui observe les progrès de la bataille à partir d'un bon point d'observation tout en dirigeant le mouvement de ses troupes. Il doit constamment chercher les moyens de battre l'ennemi. Voilà la situation dans laquelle il faut absolument un bon point de vue. Un bon général — et, dans ce cas, c'est vous le général — doit s'élever au-dessus des circonstances adverses qui l'attaquent, et trouver une façon de s'en sortir. Pour bien y réussir, avec une extrême finesse, il faut se faire une image mentale de l'ensemble des événements. Il faut pouvoir répondre immédiatement aux questions suivantes: Comment puis-je repousser, éviter ou retourner l'attaque de mon adversaire? Vous devez vous poser cette question, que vous vous opposiez à la stupidité d'un bureaucrate, à un grand besoin, à un concours de circonstances échappant au contrôle de n'importe qui ou à une grande perturbation de la nature. Mais surtout, rappelez-vous toujours qu'*il y a toujours un moyen de s'en sortir* — surtout lorsque vous faites face à l'événement importun avec imagination et audace.

*Sept additifs qui doivent compléter*
*le feu puissant de la colère*

1. Visez le beau milieu de la cible.
2. Évaluez l'importance du besoin.
3. Faites comme le fameux général confédéré, « Arrivez-y avant tout le monde, avec le plus d'atouts. »
4. Organisez-vous — pendant que vous avancez à l'attaque.
5. Soyez toujours prêt à affronter l'imprévu.
6. Acceptez les changements, les améliorations et les orientations inévitables.
7. Apprenez à évaluer correctement le caractère du renfort qui vous arrive, surtout si vous vous trouvez clairement au moins six longueurs en avant de votre champ d'action.

*Comment exploiter votre réserve d'adrénaline*

Il est reconnu que la colère et l'excitation libèrent une hormone très spéciale — l'adrénaline — qui a tendance à lancer dans l'organisme humain un réel feu sacré. Je sais de source sûre que lorsqu'une toute petite goutte de cette énergie puissante est lancée dans la circulation sanguine, chaque nerf et chaque fibre de la personne en est activée au maximum de son potentiel actuel.

On peut citer des milliers de cas où des gens ont été capables de faire des exploits incroyables, de soulever des poids énormes qui pesaient sur des personnes qu'ils aimaient et des actions de grande valeur, sous la poussée spéciale que cette puissance hautement énergétique a infligée à leurs capacités ordinaires. Pendant ces moments de grande crise, nous possédons la force de dix hommes. C'est la façon dont nous utilisons cette force immense, qui nous dirige vers une grande fortune ou qui nous fait retomber dans le bourbier de la médiocrité.

La science nous révèle que nous sommes capables d'injecter nous-même à volonté ces jets d'énergie dans notre circulation sanguine. Il nous suffit de ressentir intensément et passionnément

de l'*intérêt*
de l'*excitation*
de l'*enthousiasme*
de l'*inspiration*
de l'*exaltation*
— *ou* —
de la *provocation*

Évidemment, les situations d'urgence font toujours feu, mais nous nous préoccupons maintenant des stimulants normaux qui peuvent nous propulser, sur commande, dans les hautes sphères de l'accomplissement. Il faut toutefois que j'insère ici un petit mot d'avertissement: Ne vous infligez pas ces coups de feu trop souvent ou sur de trop longues périodes de temps, pour la même raison que celle qui vous pousse à ne pas laisser votre pied sur le bouton du démarreur de votre voiture trop longtemps, sinon vous perdriez toute l'énergie de votre batterie.

### Comment apprendre à **avancer au rythme** de votre énergie

La recherche a prouvé que nous sommes tous assujettis aux rythmes de notre énergie physique et mentale. Selon toute évidence, ces rythmes forment des arcs de vingt-trois à trente-trois jours. Il serait désastreux ou même fatal, de tenter l'impossible lorsque la vigueur de notre corps ou de notre esprit se trouve au plus bas. Pour atteindre de grands accomplissements, il vous faut donc avant tout connaître vos rythmes physique et mental et de vous assurer alors, dans toutes les circonstances ordinaires, de ne vous enthousiasmer ou invoquer ces puissances extraordinaires que lorsque les rythmes de votre énergie se trouvent au plus haut point de leur cycle.

En plus des cycles de l'énergie, il y a un autre facteur lié d'une façon ou d'une autre — de quelle façon, nous ne le savons pas — à vos périodes d'accomplissement efficace ou limité: les marées de circonstances favorables. Certains appellent ces dispenses spéciales, la chance. Mais quelle qu'en soit la source ou d'où qu'elles proviennent, elles font partie du cycle du temps que nous devons prendre en considération. Il y a déjà longtemps qu'en observant la réussite de ceux qui se trouvent au sommet de la richesse et de l'accomplissement, que ça vaut la peine d'attendre de se trouver sur le faîte de ces vagues de chance pour faire des démarches importantes et commencer à construire — tout comme le «surfer» expérimenté attend la meilleure vague — et puis d'accumuler toutes les actions possibles pour le court voyage que vous faites sur le faîte de la vague d'énergie positive.

Autrement dit et aussi paradoxal que cela puisse vous paraître — si vous pensez vraiment en millionnaire — il y a un temps pour s'enthousiasmer pour quelque chose et un temps pour rester calme en gardant tout sous contrôle.

*Comment se discipliner*

Il y a un temps pour chacune de vos manifestations vitales; il y a donc aussi un temps pour *se fâcher*. Vous pouvez exploser et ainsi perdre toute votre énergie ou alors accumuler la vapeur et faire agir cette force en votre faveur et de manière positive. A vous le choix.

Certaines personnes écrivent des lettres à l'éditeur et puis dès qu'elles ont exprimé leur écoeurement en termes amers, elles oublient la cause de leur trouble. D'autres s'en iront faire du piquetage ou encore perdre leur temps dans des manifestations inutiles. Certains individus mal inspirés laissent monter leur colère à un degré tel, que l'émeute en devient inévitable. Toutes les manifestations personnelles représentent un gaspillage énorme d'énergie. Lorsqu'une personne contemplatrice prend en main la cause de son mécontentement, évalue correctement la situation, puis consacre un certain jet de vapeur à une démarche positive, il en résulte beaucoup de bien, non seulement à cette personne, mais au monde entier. Je suis persuadé que cette pensée vaut que l'on y réfléchisse plus sérieusement.

Voici cinq façons qui peuvent vous aider à contrôler les puissances extraordinaires que vous libérez en piquant une violente colère.

1. Fermez solidement la soupape de contrôle et orientez-vous vers une démarche positive. Cette action inattendue de votre part désoriente souvent vos ennemis, dérange les tactiques violentes organisées avec soin par votre adversaire et vous lance inévitablement bien en avant dans votre opposition, car il se produit toujours un *décalage de temps* quand vous êtes victime de manoeuvres fausses et rusées ou victime de simple méchanceté, ce qui excite ceux qui s'opposent à vos plans et à vos objectifs. Les petits esprits utilisent toujours ce genre de tactiques et ils ne semblent jamais prêts à recevoir une réaction positive. Ce genre de personne se prépare donc toujours à tous les autres types de réaction, mais une réaction positive a tendance à leur faire perdre l'équilibre.

2. Tant que cette colère contrôlée est au plus haut point de sa puissance, dirigez cette énergie extraordinaire sur les chemins de la croissance. Autrement dit, soyez toujours prêt. Votre plan n'a pas besoin d'avoir de rapport avec la source de votre colère. En fait, ce serait mieux ainsi, puisqu'une colère terrible peut très bien vous jeter dans un état émotionnel dont la violence pourrait provoquer un désastre.

3. Mettez-vous à travailler comme une bombe. Jour et nuit, s'il le faut, en visant un résultat positif, pour vous vider du surplus d'énergie que vous avez généré. Si vous travaillez à vous sortir de l'événement désastreux que l'on vous a infligé, tant mieux pour vous, mais drainez votre colère de façon profitable. Et rappelez-vous ceci: Lorsque vous vous mettez en colère, vous ne faites de mal qu'à vous-même, car votre ennemi fait tout ce qu'il peut pour saccager vos projets.

4. Dès que vous vous retrouvez à l'air libre, servez-vous de cette grande poussée de puissance pour atteindre de nouveaux degrés d'accomplissement. Souvenez-vous de la Loi de l'inertie: *Tout corps en mouvement a tendance à rester en mouvement* et avec l'avance que vous avez prise sur le serpent qui vous a attaqué dans l'herbe, vous aurez tellement avancé dans vos plans et vos objectifs, qu'il aura bien de la peine à vous rattraper.

5. Et, cinquième exhortation, n'allez pas chercher les ennuis, mais soyez prêt à toute éventualité. Quoi que vous tentiez ou que vous fassiez, il y aura toujours un esprit limité qui n'attend

que le moment de pouvoir vous mettre les bâtons dans les roues ou, pire, de détruire vos plans les mieux organisés, car c'est ainsi que fonctionnent, malheureusement, les instincts de base des esprits primitifs. C'est la Loi de la jungle et l'on ne peut pas l'ignorer.

Vous penserez en millionnaire quand vous regarderez en avant, que vous prévoierez, que vous vous préparerez aux coups bas. La prochaine étape sera de vous préparer un plan puissant pour contrecarrer ces intrigues qui vous dérangent et qui semblent toujours provenir d'esprits à la conscience retardée.

### Pourquoi la colère non contrôlée est une émotion négative

Il est bien normal de se fâcher à cause d'un coup léger ou délibéré ou d'un antagonisme ouvert, mais l'homme ou la femme qui veut accroître ses possessions ou gagner en prestige, ne peut réagir que d'une seule façon: transformer cette influence anéantissante et destructrice en un mouvement d'action positive, dirigé vers l'avant. Toutes les autres réactions peuvent détruire votre santé, votre carrière ou même votre vie. Et le moins qui puisse vous arriver, c'est de perdre des jours, des semaines ou même des mois de temps précieux. Il faut donc savoir contrôler la foudre, et, par la même occasion, diriger cette immense explosion d'énergie sur des chemins positifs.

Il est évident que vous devrez faire un certain effort pour suivre ma suggestion, surtout au début. On ne trouve malheureusement nulle part sur le marché des harnais préfabriqués pour «retenir vos chevaux». Vous êtes le seul à pouvoir développer vos techniques de contrôle, les organiser et les manipuler. Personne et je dis bien personne, ne peut le faire pour vous.

Ceci me rappelle la suggestion efficace que je découvris dans le petit livre de Stella Terrel Mann intitulé *Change Your Life Through Prayer*. Et voici sa suggestion pleine de sagesse: «Quand de grands éclats de colère perturbent les procédés mentaux ordinaires, *bénissez* la personne qui vous envoie ce coup bas.» Ce petit truc m'aide depuis longtemps à contrôler mes colères violentes. Je dois avouer cependant que les premières fois que je m'imposais cette réaction, j'y ajoutais quelques mots de description des ancêtres de mon adversaire, qui ne lui laissaient aucun doute sur ma façon de penser. Mais la grande règle, ici, c'est de diriger toute l'énergie loin du désastre. Vous en êtes capable, mais *commencez dès maintenant.* Il est facile de développer les traits de caractère qui vous aideront à contrôler cette explosion d'énergie. Il vous suffit d'imposer quelques disciplines élémentaires à vos réactions explosives aux événements et aux personnes désagréables et vous y êtes. Vous comprendrez comment y réussir de façon efficace en ajoutant à vos talents grandissants la prochaine étape.

*Résumé*

1. De nombreuses grandes fortunes ont commencé d'un moment de grande colère ou de frustration bien contrôlées.

2. Des records d'accomplissements fantastiques ont jailli d'un désir intérieur puissant de réussir. Cet état d'esprit inhabituel est bien loin d'être de la simple ambition, parce que c'est vous qui devez faire et entretenir le feu puissant du désir. Il est essentiel de faire un peu de progrès chaque jour.

3. Neuf actions positives peuvent vous aider énormément à alimenter la fournaise du désir. Commencez dès aujourd'hui à faire et à contrôler votre feu.

4. Apprenez à anticiper et à évaluer correctement la force ou la source des ennuis et gardez un plan de contre-attaque tout prêt.

5. Apprenez à avancer avec les hautes vagues du rythme de l'énergie physique et mentale; vous créerez ainsi votre propre chance.

# Comment atteindre
# la maturité de l'esprit

Le trait de caractère que nous appelons maturité de l'esprit est un joyau à multiples facettes. Cette qualité possède non seulement une grande puissance vous permettant de penser en millionnaire, mais aussi son propre potentiel extraordinaire d'attirer de l'argent, du prestige et/ou de la promotion.

La façon qui vous permettra d'atteindre ce bel état de conscience dépend beaucoup de votre expérience d'enfant. Si vous êtes ou que vous avez été, une « petite fille ou un petit garçon à sa maman » ou un enfant unique, vous souffrez probablement d'un certain complexe. Ce complexe peut être d'ordre émotionnel ou sexuel ou vous pouvez être une personne irresponsable ou juste un enfant « gâté-pourri », quel que soit votre âge.

Comment je le sais? J'étais fils unique. En regardant en arrière, je frémis en contemplant le nombre d'années qu'il m'a fallu pour atteindre le haut plateau de la maturité.

## Comment évaluer la personne que vous êtes réellement

Une fois que nous avons atteint le degré de conscience qui nous permet de nous regarder et d'évaluer notre niveau de maturité, nous avons déjà fait un pas de géant vers la « notion de maturité ».

Au cours des nombreuses discussions que j'ai eues avec des gens ayant un haut niveau d'éducation et avec des hommes et des femmes qui semblent vivre une vie équilibrée et productive, j'ai été très étonné de constater plus d'une fois que cette notion essentielle et d'importance vitale manquait. J'ai eu vraiment un choc en m'apercevant que telle était la situation chez la plupart des personnes ayant atteint un niveau intellectuel élevé.

Considérez les neuf signes qui indiquent presque toujours la présence d'un esprit qui n'a pas su atteindre sa maturité, quoi que ces personnes aient été capables d'accomplir.

Pourquoi est-ce que je demande maintenant que l'on s'examine sérieusement? Pour la bonne et simple raison que je n'ai vu que trop de gens ayant réussi brillamment, s'auto-détruire parce qu'ils ne s'étaient jamais vus comme les autres les voient.

Votre première étape sera donc de regarder longuement et durement *la personne que vous êtes réellement.*

*Comment vaincre les neuf obstacles qui vous empêchent d'atteindre la maturité de l'esprit.*

Pour bien regarder, avec honnêteté, votre état d'esprit actuel, donnez-vous deux semaines pour répondre aux neuf questions suivantes, puis étudiez-en bien les antidotes. Vous serez alors prêt à lire l'histoire vécue qui suit. Si vous vous voyez dans l'une de ces histoires, il est temps de vous lancer dans une intense campagne de nettoyage, si bien entendu, vous tenez à votre argent ou à vos accomplissements, après les avoir gagnés.

*Est-ce que je vis sur la défensive?*

Autrement dit, est-ce que je néglige constamment mes petites responsabilités et obligations, qui fait qu'ensuite je doive m'efforcer à tout prix de trouver une explication plausible pour ne pas avoir livré mon travail à temps.

*Antidote*

Lorsque vous acceptez une tâche, prenez-en la responsabilité ou acceptez un travail duquel vous pourrez répondre, faites-le vite et livrez le meilleur travail que vous êtes capable d'exécuter.

*Histoire*

J'ai connu un vendeur qui gagnait très peu. J'ai travaillé avec lui et j'ai insisté durement sur ce point. Le type, que nous appellerons Jack Middleton, a compris ce que je voulais lui faire comprendre. Sa transformation n'a pas été spectaculaire, mais on a remarqué une amélioration immédiate dans son travail. En peu de temps, les ventes de Jack ont égalé celles du plus grand vendeur de notre organisation et le jour du bonus, Jack a encaissé le plus gros chèque que l'on avait jamais fait à un représentant. Il est maintenant responsable des vendeurs d'une succursale en développement de San Francisco.

*Ai-je tendance à blâmer les autres pour mes échecs?*

Je sais que pour la plupart des gens, c'est une pilule énorme à avaler, mais elle apparaît très distinctement dans la vie de beaucoup d'individus autrement compétents. Cela peut être le temps, d'autres personnes ou les circonstances. Ce type d'individu trouve toujours l'excuse que Joe ou Jane Doe entrave son progrès. Cette habitude est à surveiller de près, car elle peut facilement dégénérer en *manie de la persécution* et nous savons tous les deux que les asiles de fous sont pleins d'hommes et de femmes qui ont glissé dans ces sables mouvants mentaux.

*Antidote*

Si, dans votre friction quotidienne avec les gens et les événements, vous trébuchez pour une raison ou une autre, remettez-vous en marche avec toute l'énergie que vous avez en réserve et dites-vous avec détermination que la prochaine fois, vous serez tellement compétent, que ça ne vous arrivera plus.

*Histoire*

Il y a bien des années, j'ai rencontré un directeur qui s'appelait Art Fullbright. Ce type avait réussi à gagner un poste important dans une chaîne de restaurants en plein essor. Un jour et sans aucune raison apparente autre que le fait que l'on pouvait engager un homme plus jeune pour moins cher, il a été mis à la porte. A cette époque, Art avait près de soixante ans et se préparait à prendre sa retraite plus tôt que la normale. Au lieu de se fâcher amèrement contre la compagnie, il s'est regardé avec beaucoup d'attention. Qu'il était ravagé serait peu dire. Il lui restait un peu d'énergie, et quand le premier choc a été passé, il a décidé de faire quelque chose, mais vite. Comme il connaissait bien le domaine de la restauration, il a acheté un petit café un peu délabré qui possédait un atout — il était très bien situé. Ses affaires sont vite devenues florissantes... tellement florissantes qu'il a acheté un deuxième établissement. Art est actuellement en train de négocier l'achat de l'établissement qui l'a mis à la porte il y a presque dix ans.

*Est-ce que je me laisse emporter par des éclats de colère coûteux?*

Les personnes joyeusement colériques aiment à se vanter: «Je vous jure que je l'ai fait déguerpir!» ou, encore plus stupidement «Je vous assure que je lui ai dit ce que je pensais de lui...». Celle-ci est particulièrement dévastatrice quand on l'adresse à son supérieur, à un associé important ou à un client. L'éclat aura peut-être relâché un peu de votre tension, mais il a le même effet que si vous tiriez le tapis de sous votre carrière.

*Antidote*

Si vous sentez le besoin d'imposer quelque discipline à votre humeur capricieuse, il vous suffit de vous rappeler constamment que c'est à *vous* que vous faites du tort — c'est *vous* qui allez perdre votre travail, une promotion ou votre rêve d'un million de dollars.

*Histoire*

Il y a quelques années, j'ai aidé un homme à obtenir un poste comportant des responsabilités. Je le savais bien qualifié pour ce poste, et il semblait être un homme posé et travailleur. Ce que je ne savais pas, c'est qu'il avait un besoin incontrôlable d'exploser pour des manques d'égards imaginaires ou pour la plus petite opposition à sa façon de penser. Ses supérieurs supportèrent sa réaction puérile aux gens et aux événements plus longtemps que la normale à cause de sa compétence, mais le jour vint où il fallut faire quelques «ajustements» dans le service. Bien entendu, c'est ce type qui fut «ajusté» en étant mis à la porte.

*Est-ce que je manque de confiance en moi-même?*

Pour avoir confiance en ses propres idées, ses actions ou ses capacités, il faut une attitude d'indépendance déterminée. Il est regrettable qu'au cours des siècles, ni le gouvernement, ni la religion, n'aient contribué à développer ce trait de caractère d'importance vitale. Cependant, le plus grand mérite que nous puissions reconnaître à Moïse, à Platon, à Jésus de Nazareth, à

Milton et à nos signataires de la Déclaration d'Indépendance, c'est que ces hommes ont méprisé les coutumes et ont exprimé non pas ce que les esprits de cette époque acceptaient comme étant la vérité, mais ce en quoi ils croyaient.

Il est facile de s'appuyer sur quelqu'un d'autre pour certaines choses bien ordinaires, mais ce luxe devient coûteux lorsqu'on s'y abandonne pour plus longtemps que le moment où l'on en avait besoin pour regagner ses forces. Celui qui accepte plus d'une béquille temporaire, accepte la médiocrité.

## Antidote

Croyez en vous-même, en l'ensemble de votre personne, si fort, que ni les hommes, ni les événements, ni les circonstances ne pourront perturber votre attitude d'indépendance.

## Histoire

Du temps où j'étais journaliste, j'ai rencontré un homme qui avait beaucoup de difficultés. A cette époque, les emplois étaient rares et cet homme avait une famille à nourrir. Diplômé de l'Université de Los Angeles, en Arts Libéraux de surcroît, il ne partait pas avec de grandes chances. Un jour, il a regardé sa situation bien en face et, après un examen de conscience approfondi, il a déclaré: «Puisque je ne peux pas obtenir l'emploi que je veux, je vais accepter les durs travaux que personne d'autre ne veut prendre.» Le seul «emploi» qu'il a réussi à obtenir a été celui de vendre à commission du savon en poudre de porte à porte. Sa logique lui disait que tous les ménages avaient besoin de savon, alors il s'est mis à la tâche avec détermination. Il gagnait peu, mais il était capable de nourrir sa petite famille. Un jour, il a sonné à la porte d'une dame qui lui a dit: «Ma maison a besoin d'un nettoyage complet, de la cave au grenier. Si vous le faites, j'achète votre savon.» Il a accepté avec joie, pour un salaire de 50 cents de l'heure. Il n'en gagnait pas beaucoup moins avec ses commissions, mais il appréciait le changement. Il était résolu d'exécuter le meilleur nettoyage dont il était capable et c'est ce qu'il a fait. La dame a été très heureuse. Elle en a parlé à ses amies, il a eu bientôt plus de travail qu'il ne pouvait en faire. Il a eu besoin d'aide. Chaque chose en a amené une autre, jusqu'au jour où un client satisfait lui a demandé s'il accepterait de peindre sa maison. Il s'est appliqué de nouveau à faire le travail du *mieux* qu'il pouvait. Et cet ingrédient important a tout déclenché. Le monsieur de notre histoire est aujourd'hui entrepreneur dans une petite ville des environs et il a douze employés — quatre d'entre eux font du ménage et les huit autres peignent tous les édifices qui requièrent un travail de qualité exceptionnelle. Il gagne plus d'argent qu'il n'aurait jamais osé espérer — et tout ceci parce qu'un jour il a décidé de voler résolument de ses propres ailes.

### *Ai-je tendance à ne penser qu'au présent?*

Et il peut s'agir de relations familiales, de gains actuels, de loisirs ou de plaisirs au lieu de revenus à long terme. Je sais que cette question couvre un vaste domaine, mais elle contient plus de puissance qu'un plein chargement de dynamite. Trop de carrières glissent vers une stagnation désastreuse à cause de distractions momentanées, de petits désagréments personnels ou d'entraves temporaires à un plan, auxquels la personne a tendance à réagir de façon puérile, à réagir à la situation à la manière d'un enfant et non en adulte à l'esprit mûr.

### *Antidote*

Habituez-vous à évaluer les conséquences de votre abandon à des caprices, à des réactions incontrôlées ou de certains gains par rapport à des rétributions plus à venir.

### *Histoire*

J'ai connu un homme qui s'est fâché violemment contre sa femme à propos d'un incident très terre à terre qui est arrivé dans la maison. Dominé par cet état émotionnel puéril, il l'a quittée, laissant un foyer très satisfaisant et trois enfants très prometteurs. Il n'est jamais revenu. Il a vécu une vie très solitaire et est mort vingt-sept ans plus tard en homme désespérément seul dans une petite chambre des bas-fonds de Los Angeles.

Et voici un autre exemple. J'ai bien connu à Hollywood un

homme qui avait atteint un poste de directeur assez élevé dans une Compagnie en plein essor. Un jour, il a été pris d'une colère violente contre un associé qui lui avait fait un mauvais coup et, dans cet état de furie incontrôlable, il a insulté le président de la Compagnie, en l'accusant de ne pas le soutenir dans cette crise. Bien entendu, il a perdu son emploi. Depuis ce temps-là, cet homme n'a plus jamais eu de poste plus élevé que celui de simple commis de bureau. S'il avait su contrôler son humeur puérile, il aurait pu avoir beaucoup de succès. J'ai remarqué avec ironie que l'individu qui lui avait fait le mauvais coup a été mis à la porte deux semaines après l'incident pour avoir commis cet acte imprudent.

### Est-ce que je sais contrôler mon agressivité?

Il est vrai que nous avons tendance à revenir à nos instincts primitifs d'enfants et à pousser notre agressivité au point d'en être combatifs, mais nous ne pensons pas en millionnaires tant que nous ne savons pas diriger ce grand potentiel d'énergie sur des entreprises créatives. Une fois que nous savons dominer la force entraînante de la colère violente et diriger cette puissance sur des projets constructifs, nous échappons aux liens collants de notre nature primitive. Dès que nous avons atteint le niveau favorable de l'agressivité retenue et contrôlée, nous sommes en mesure d'atteindre tous les succès dont nous pouvons rêver.

### Antidote

On a souvent dit que la meilleure défense était une forte offensive. Cette stratégie peut s'avérer assez valable dans une guerre, en religion et en politique, mais dans les relations humaines, elle provoque des réactions extrêmement puissantes, surtout quand elle part d'une cause peu importante. Pour vous débarrasser de cette manifestation d'un manque de maturité, apprenez à mieux écouter, à partager vos opinions avec les autres plutôt que d'essayer de les leur imposer, de toujours vous efforcer de façon résolue de trouver le *bon* côté de tous les projets, les plans ou les opinions que l'on vous suggère avant d'en chercher les défauts. Cette attitude fera des merveilles dans votre carrière.

### Histoire

Lorsque je faisais mes débuts en politique, j'ai rencontré un individu, l'un de mes camarades de party, qui avait pour principe d'attaquer tout et tout le monde. Il soupçonnait tous les motifs, toutes les actions et toutes les décisions et il ne limitait jamais la puissance de ses invectives. Il agissait ainsi dans toutes les situations, qu'il s'adresse à un individu ou à une réunion de l'organisation. Il était grand, maigre, à la mâchoire carrée, et ne se présentait jamais sans son gros cigare. Il occupait un emploi de vendeur modeste, mais adéquat, il possédait sa propre maison, avait une bonne épouse et deux enfants studieux et bien éduqués. Ceci se passait durant les temps les plus durs de la grande dépression, alors que le tiers de la population des travailleurs était sans emploi. Mais la grossièreté politique de cet individu s'est répandue dans sa vie familiale et sa femme a divorcé. Il a fait face à cette calamité avec toute la combativité dont il était doté et il a perdu son emploi. La dernière fois que je l'ai vu, il était scandalisé de voir un hyppie hirsute, en haillons, entrer en traînant les pieds dans un magasin de vins.

### Ai-je attrapé la maladie de l'égocentrisme?

Je vous supplie de ne pas sourire à mon idée que l'égocentrisme est une « maladie ». Une personne peut très bien tomber amoureuse d'elle-même, tout comme le Narcisse de la mythologie grecque est tombé amoureux de l'image qu'il a aperçue en se penchant sur les eaux claires d'une mare. De nos jours, cette tendance à entretenir un Moi incommensurable peut s'avérer désastreuse. La personne peut se faire une image tellement fausse d'elle-même, qu'elle peut en perdre toute la mesure, non seulement de ses propres capacités, mais de toutes ses relations avec ceux qui l'entourent.

### Antidote

Si une tendance à vous retourner entièrement sur vous-même s'introduit dans votre conscience, affrontez cet amour de vous-même directement, à l'aide d'un programme bien organisé de *partage,* qu'il s'agisse de prestige, d'honneurs spéciaux ou autre. Il est bon que vous vous rappeliez que vous n'en seriez pas où vous êtes aujourd'hui dans notre société civilisée, sans vos associés et vos supérieurs. Et tant pis si c'est à vous qu'ils doivent les quatre-vingt-dix pour cent du travail ou de l'idée originale. Le fait demeure que: *vous n'êtes pas le centre de l'univers.*

### Histoire

Je connais un homme qui se dresse dans sa propre lumière. Je n'ose pas mentionner son nom, car il est trop connu dans le public des lecteurs. A travers les années, j'ai observé avec horreur cet homme tirer le tapis de sous sa petite personne, encore et encore, juste parce qu'il pensait qu'il lui était nécessaire de partager le prestige d'une autre personne. En fait, je l'ai réellement vu éclater dans une situation de ce genre et puis mépriser une transaction des plus avantageuses.

### Est-ce que je réagis sans maturité face au sexe?

Nous devrions apprendre à vivre avec le sexe en êtres humains empreints de maturité. Le sexe n'est pas un jouet, un plaisir bon marché ou, par manque de l'acte réel, une belle image colorée. Contrôlé, le sexe peut régénérer; incontrôlé, le sexe peut détruire. A vous de choisir.

Les réactions puériles face au sexe sont si communes qu'elles semblent normales. Arrêtez-vous à n'importe quel kiosque à journaux et regardez quelle revue y est le plus affichée. Ou alors, regardez la publicité et lisez les offres innombrables de livres, de photos et de films érotiques et même d'immenses poupées féminines en caoutchouc qui ont la même texture «chaude, vivante, d'une femme humaine». Le goût pour n'importe lequel de ces stimulants sexuels est l'un des plus grands signes de manque de maturité.

### Antidote

Comme le sexe est une question tellement personnelle et privée — ou du moins elle devrait l'être — il est impossible de créer une organisation anonyme visant à combattre cette maladie mentale. Par conséquent, le seul moyen de s'en débarrasser, pour un individu qui désire vraiment atteindre un niveau de conscience plus élevé, est de fuir tous ces plaisirs bon marché jusqu'à ce que le problème soit résolu.

### Histoire

A mes débuts d'écrivain pigiste, j'ai rencontré un éditeur qui avait monté une affaire florissante à partir de rien. Lorsque j'ai rencontré cet homme pour la première fois, il avait déjà publié plusieurs livres avec succès, et son entreprise prospérait. Il publiait des livres de valeur et en même temps gérait une imprimerie prospère.

Un jour, un homme lui a apporté un travail très sale, mais très profitable, à imprimer. Je ne saurai jamais pourquoi l'éditeur a accepté le travail, mais il semblait susciter en lui un intérêt jusqu'alors caché. Après avoir imprimé cette camelote érotique, il s'est mis à accepter et à vendre, des photos de nus. Dans cette atmosphère dégénérée, l'entreprise de cet homme s'est mise à glisser, d'abord lentement. La dernière fois que j'ai rencontré cet homme par hasard dans la rue, il cherchait des contrats d'imprimerie sur commission pour l'un de ses anciens employeurs. Sa famille l'avait abandonné, mais il s'adonnait toujours à sa perversion.

### Est-ce que j'ai de la maturité de conscience?

Dans toutes mes années de recherches, je n'ai pas encore rencontré un homme ou une femme qui considère les principes fondamentaux des Dix Commandements comme un mode de vie et qui n'ait pas une conscience mûre. Il est bien naturel, pour une personne qui vit dans un milieu culturel donné, d'en absorber les philosophies dominantes aussi facilement qu'elle respire. Lorsque l'atmosphère est claire et saine, la personne aura un développement psychologique naturellement solide. Malheureusement, les philosophies de notre milieu ne sont pas claires et saines — en fait, très peu de choses, dans notre mode de vie, ne nous encouragent à aspirer aux récompenses qu'offre la maturité d'esprit. Il n'y a pas très longtemps, j'ai posé la question à un grand psychologue, dont la réponse a été une critique de notre mode de vie. Selon lui, « moins de cinq pour cent de notre peuple a de la maturité d'esprit. »

*Antitode*

Mettez-vous dès maintenant à examiner avec soin vos réactions aux gens et aux événements, votre attitude envers la vie, votre acceptation ou votre rejet des valeurs philosophiques solides et avec quelle force vous avez résolu d'atteindre les hauts plateaux de la maturité.

*Histoire*

Avec les années, j'ai appris à connaître un homme très avancé intellectuellement, mais mentalement, il est encore un enfant. Sa maison est généralement un vrai champ de bataille, sa vie de famille est un enchevêtrement de frustrations, ses enfants ne se font jamais réprimander lorsqu'ils manquent totalement de considération pour autrui, ni pour leur tendance croissante à tout détruire. Parti d'une carrière qui semblait le destiner à devenir un grand éducateur, il glissait toujours plus bas sur l'échelle économique. Malgré son doctorat en éducation, il occupe actuellement un poste servile dans une ville avoisinante et tout ceci parce qu'il n'avait pas le courage de faire face à la vie.

Arrêtez-vous un instant pour faire un sérieux inventaire personnel. Une fois que vous l'aurez fait, vous serez bien mieux préparé à vous engager et à profiter, de la prochaine grande étape vers la richesse et aux disciplines physiques qu'il vous faudra pour rester assez longtemps en vie pour en jouir.

*Résumé*

1. La qualité que nous appelons *maturité d'esprit* provient des valeurs de l'expérience de notre enfance. Mettez-vous dès maintenant à abandonner toutes les manières puériles qui vous sont restées à travers toute votre croissance.

2. Vous penserez vraiment en personne capable de se gagner et de conserver un million de dollars, lorsque vous vous arrêterez pour examiner longuement et profondément *la*

*personne que vous êtes réellement.* Si vous n'en êtes pas capable, préparez-vous à vivre dans la médiocrité.

3. Quand vous faites un *inventaire personnel* pour évaluer votre niveau de conscience actuel, est-ce que vous fonctionnez au niveau animal, intermédiaire ou à celui de la maturité? Pour atteindre de nouveaux plateaux de croissance, je vous suggère de chercher avec soin à surmonter les *neuf obstacles* qui vous empêchent d'atteindre votre plus haut potentiel d'accomplissement.

4. En vous examinant, assurez-vous de ne pas vous encombrer de préjugés dévitalisants et de préjugés raciaux, religieux ou politiques, même si vous ressentez une grande satisfaction personnelle à vous y abandonner.

5. Apprenez à lire les journaux et les revues et à écouter la radio ou regarder la télévision, tout en restant calme, détaché et libre de tout attrait mensonger de la publicité ou d'un point de vue fortement partial. Cette attitude ne sera pas populaire, mais elle vous entraîne vers une solide maturité d'esprit.

# Comment conserver
# son énergie physique

L'acide urique est-il vraiment un additif puissant qui transforme une faible batterie humaine en une source de 440 volts surchargée d'énergie? Dans ce cas, il s'agit de notre corps physique.

Tout d'abord, voyons ce qu'est vraiment l'acide urique. Le dictionnaire nous le décrit comme étant une substance solide blanche qui ne se dissout presque pas dans l'eau. Il se forme dans notre corps, en tant que déchet de ce composé complexe appelé protéine et peut provenir soit de matière animale, soit de matière végétale, bien qu'un groupe maniaque des régimes affirme que le produit dérivé des matières végétales est bien moins nocif pour le mécanisme de notre corps. Mais c'est aussi une source d'énergie bien moins puissante. L'acide urique est probablement la vraie matière stimulante de la batterie humaine.

Il existe aujourd'hui bien des projets de recherche sur les secrets de cette modeste substance — surtout dans quelques grandes universités. Cependant, avant de vous élancer dans les régimes de protéines, il serait peut-être bon que vous attendiez que l'information arrive au monde laïque, après avoir passé par d'innombrables examens, examens de l'examen et expériences.

J'ai remarqué que toutes les femmes et les hommes de ma connaissance qui manifestent un grand potentiel d'énergie, étaient également dotés d'un niveau élevé d'acide urique. A partir de là, je ne veux pas m'aventurer à déterminer les vérités de cette question: j'en laisse le soin aux techniciens spécialisés.

Si vous êtes du type de l'expérimenteur-né, je ne peux que vous supplier de travailler très étroitement avec un médecin qui s'intéresse à votre entreprise, parce que tout excès d'une bonne chose peut provoquer des effets secondaires désagréables.

*Premier pas vers l'efficacité maximale du corps.*

Que l'accomplissement physique extraordinaire provienne de l'acide urique, de l'adrénaline ou de quelque autre substance encore inconnue, il y a une chose que nous ne pouvons nier — *les exploits inhabituels du corps ou de l'esprit surgissent d'un climat mental fortement positif.*

Par conséquent, la seule façon de développer une quantité maximum d'efficacité physique, d'injecter une étincelle et un enthousiasme réels dans chacune de vos actions pour que votre mouvement vers l'accomplissement extraordinaire soit toujours animé d'une poussée vers l'avant d'un million de kilos, c'est de réorienter votre esprit pour que votre force directionnelle vous emmène en plein sur votre objectif. Et pour y arriver de façon efficace, il est absolument essentiel que vous nettoyiez votre esprit de toutes matières à friction, dès maintenant. Et cette affirmation ne provient ni de la religion, ni de la philosophie, ni de l'enseignement des anciens. *C'est tout simplement de bon sens même.* Lorsque vous y serez arrivé, vous aurez ajouté un ingrédient puissant à votre programme d'accroissement.

## Neuf points fondamentaux de la puissance physique

Vous penserez vraiment en millionnaire, désireux et capable de conserver l'enrichissement de la vie que vous visez, lorsque vous pourrez vérifier de façon réaliste le fonctionnement de votre corps par rapport aux points fondamentaux de l'efficacité physique énumérés ci-dessous. Vous ne pouvez ignorer ces préceptes — à condition, bien sûr, que votre plan soit orienté sur le succès et qu'il vise la réalisation d'une grande richesse et/ou d'un grand accomplissement.

*La régénération.* Pour une raison que je ne peux saisir, la plupart des gens ont de la difficulté à comprendre que nous commençons à vieillir dès le jour de notre naissance. Pour compenser ce paradoxe apparent, il faudrait que l'on enseigne aux enfants, dès qu'ils sont à même de comprendre, l'art, la science et le talent de la régénération. Et dans cette instruction, on devrait inclure certains principes élémentaires de physiologie.

Tout d'abord, nous savons que chaque individu mange,

dort, fait de l'exercice et s'abandonne aux plaisirs de la procréation d'une manière qui lui est propre. Et c'est très bien, car la variété nous permet d'échapper à la banalité. Cependant, nous devons tous suivre certaines règles si nous désirons récupérer et réanimer notre énergie. En faisant autrement, on court au désastre.

Nous savons actuellement que certaines substances se font perfectionner pour rallonger le nombre de nos années actives et fructueuses, mais ces stimulants de l'énergie cachent une vérité à laquelle on n'échappera pas — *ces stimulants ne peuvent fonctionner qu'avec ce que vous leur aurez fourni.*

« Qu'est-ce que la régénération a à voir avec la pensée du millionnaire? » La réponse en est simple et directe. Lorsqu'un homme ou une femme ne pense pas en termes de conservation de l'énergie physique, ses pensées sont négatives, et le simple fait de gaspiller et même de dilapider nos ressources physiques risque de nous faire perdre les gains que nous nous efforçons de gagner.

Voici les huit autres points fondamentaux permettant d'entretenir l'efficacité du mécanisme de notre corps. Il n'y a pas vraiment d'ordre de présentation, car chacun de ces points est indispensable à l'exploitation maximum de notre pensée et de nos actions pour jouir de la réalité de notre vie.

*Le repos.* Pour la plupart des gens, ceci signifiera huit heures de sommeil continu pour chaque période de vingt-quatre heures, mais la pratique nous fait dévier de maintes façons de cette vieille règle. Je connais par exemple un homme qui travaille et se repose d'une manière très inhabituelle. Il travaille quatre heures puis dort profondément pendant les quatre heures suivantes. C'est sa routine continue, à laquelle il ne change que quatre heures de travail pour quatre heures de loisirs, au cours desquelles il joue au golf, va au spectacle, dîne avec des amis ou fait une petite promenade en voiture sur la plage ou à la montagne. Mais il ne modifie que très légèrement son horaire, il est bon de remarquer que les résultats de son travail d'écrivain sont extraordinaires. L'important, ici, c'est de comprendre que notre corps physique a besoin de temps pour recharger ses batteries de travail.

*L'eau.* Tout d'abord, nous savons que l'eau est essentielle au processus de la vie. Malheureusement, peu de gens comprennent à quel point nous en avons besoin. Par exemple, nous devenons tous très conscients de l'existence de l'eau quand nous avons soif. Quand nous commençons à vraiment avoir besoin d'un bon bain, quand le terrain a besoin d'un arrosage ou quand nos vêtements sont sales, nous y faisons quelque chose. Mais aucun d'entre nous ne s'arrête un instant pour regarder *à l'intérieur* de notre corps — en imagination — et considérer le rôle tellement vital que l'eau joue lorsqu'elle stimule le fonctionnement efficace de notre corps physique. Sans boire de l'eau à intervalles réguliers pendant nos heures d'éveil, il nous est impossible de vraiment utiliser les puissances de notre esprit et de notre corps. Lorsque nous n'introduisons pas d'eau dans notre corps aux moments appropriés, l'un des organes de notre corps souffre de notre négligence. C'est l'une des quatre lois fondamentales de la nature, que l'on ne peut ignorer.

*La respiration.* Ce point-ci est évident, mais au cours des années, j'ai rencontré tellement d'hommes et de femmes qui n'étaient pas pleinement actifs parce qu'ils ne savaient pas respirer correctement, que je tiens à présenter cette étape élémentaire, pour que vous puissiez vraiment penser et agir, en millionnaire.

Il y a plusieurs années, j'ai rencontré un jeune homme que nous appellerons Jack Ballard. Cet homme gérait un petit atelier de photographie à Hollywood, avec un succès modéré. Il connaissait bien son affaire, mais chaque fois que j'entrais dans sa boutique, il se plaignait de ne pas avoir assez de «pep» pour arriver à faire sa journée de travail. Finalement, je lui ai suggéré de faire de la respiration profonde pendant à peu près cinq minutes, au moins trois fois par jour. Il a accepté à contre coeur d'essayer mon idée.

Au début, il n'a eu qu'une réaction physique très légère, mais au bout de quelques jours, son énergie latente a commencé à réagir et, voyant cette amélioration, il s'est mis à pratiquer cet exercice de façon sérieuse. Au bout de deux semaines, il faisait le double de travail et grâce à cet accroissement, ses affaires se sont mises à augmenter presque jour après jour. Jack jouit maintenant d'une retraite confortable et il admet qu'il a édifié une affaire active et prospère, tout simplement parce qu'il a accepté d'inspirer un surplus d'*air frais gratuit* plusieurs fois par jour.

*L'alimentation.* Même si vous vous intéressez spécialement à la nourriture, l'idée de manger pour vivre peut sembler être un sujet bien ennuyeux. L'attitude du «et alors!» domine, tout simplement parce que le besoin de se nourrir d'une façon ou d'une autre revient trois fois par jour avec une régularité monotone. L'étude de ce domaine de l'activité humaine devient intéressante aussitôt que vous pouvez établir un rapport entre votre absorbtion de nourriture et le plan de succès que vous vous êtes élaboré — le sujet acquiert alors une dimension toute nouvelle.

Etudiez d'abord de près l'idée d'équilibre du processus d'alimentation. C'est-à-dire un régime raisonnablement bien proportionné composé de viandes, de légumes, de fruits et de jus. En faisant excès de l'un de ces trois types de nourriture fondamentaux, vous développez ou suractivez l'un de vos organes corporels au détriment d'une autre fonction de base de votre corps. Il est évident que le corps ne supporte cet excès que pendant un certain temps, et alors *boum!* — vous le payez. Les troubles physiques, quels qu'ils soient, ne peuvent que vous «détraquer», diminuant ainsi l'efficacité de votre rendement physique.

Pour contrecarrer ces choses négatives, prenez la ferme résolution de ne pas manger à l'excès, de ne pas vous concentrer sur un genre de nourriture en excluant les autres *juste parce que celui-ci vous plaît.* On peut résumer le point fondamental de ces quelques conseils sur une alimentation meilleure en une seule phrase puissante: mâchez chaque bouchée de nourriture jusqu'à ce qu'elle s'*avale* pratiquement d'*elle-même.*

Horace Fletcher a été le premier à affirmer cette idée inhabituelle au début de notre siècle, et cette notion est devenue très vite une vraie manie, jusqu'à ce que d'autres explosions d'intérêt la poussent de côté quelques années plus tard; et bientôt on l'avait complètement oubliée — oubliée, c'est-à-dire, jusqu'au jour où, dans les années vingt, de nouveaux projets de recherche en fassent ressortir les avantages diététiques et remettent la règle à l'ordre du jour.

Mais on n'a connu les vraies qualités de l'habitude de manger lentement que lorsque des expériences contrôlées avec soin révèlent des faits que l'on avait ignorés jusqu'alors. Par exemple, l'énergie physique du groupe de contrôle a augmenté à une vitesse surprenante, l'accomplissement de ces personnes s'est amélioré de façon marquante dans tous les domaines d'activité, les petites maladies disparaissaient comme par magie et, le plus surprenant de tout, le poids des participants s'est mis à augmenter ou à diminuer selon le besoin personnel de l'individu.

*Le sexe.* Soigneusement contrôlé, utilisé avec prudence, le sexe, l'intérêt et/ou le plaisir porté au sexe peut stimuler le corps physique et l'amener à des accomplissements extraordinaires, alors que l'utilisation excessive de cette énergie ou même une réaction excessivement émotionnelle à l'idée du sexe peut vider l'esprit et le corps de toutes ses capacités à une vitesse effrayante.

Le mieux est de pouvoir utiliser le sexe comme une rampe de lancement vers de grands accomplissements plutôt que comme un détonateur de l'énergie atomique que renferme notre corps. Je sais que ce comportement discipliné requiert un grand effort de volonté, mais on y arrive et il rapporte énormément — non seulement en efficacité personnelle, mais dans vos relations familiales, sans parler de l'amélioration extraordinaire de votre habileté à exploiter vos contacts avec vos amis et vos associés, masculins et féminins.

*L'exercice.* C'est ici que nous séparons les hommes des éternels Dons Juans. Dans notre monde moderne, on devrait faire de l'exercice dans le but et avec l'intention de récupérer et de régénérer son énergie physique et définitivement pas pour s'efforcer de devenir l'homme le plus fort de l'université, ni de dépenser une énergie physique monumentale pour l'idée erronée que c'est ce que doit faire un homme viril. Quelles bêtises!.

Je pourrais citer des douzaines d'exemples illustrant à quel point on peut se tromper sur cette «croyance de l'exercice», mais le meilleur exemple est le désir pressant et fiévreux du très regretté Clark Gable de constamment dépenser énormément d'énergie. Il était déjà ainsi bien avant la mort tragique de sa première femme, Carole Lombard, dans un accident d'avion au cours d'une tournée dans les camps d'entraînement de l'armée, mais depuis cet événement, il semblait animé d'un désir insatiable d'en faire trop. D'abord, il s'est inscrit à l'armée comme élève pilote et a complété le cours, aussi épuisant que cela puisse être, même pour des hommes plus jeunes. Il entrait alors dans la quarantaine et chaque nouvel accomplissement le lançait dans une nouvelle entreprise. Il se préparait à effectuer une excursion de chasse extrêmement épuisante quand il a été frappé — à l'âge de 59 ans — d'une crise cardiaque qui l'a emporté.

De nouveau, l'exercice peut donner des résultats positifs ou négatifs. On peut atteindre les résultats positifs en exerçant de façon calme et naturelle les tensions isométriques. C'est-à-dire en consacrant quelques minutes par jour à tendre et étendre chaque muscle de son corps. Cet exercice n'est pas très spectaculaire, mais il fera des merveilles à votre corps. Mais ce n'est pas le seul avantage. Vous aurez plus de temps pour votre famille. Vous serez beaucoup plus stimulé dans votre travail de création, vous vivrez plus longtemps et aurez beaucoup plus de plaisir à vivre. Il vaut certainement la peine de moins participer à des soi-disant sports qui drainent votre potentiel financier — comme, par exemple, vos longues sessions sur le terrain de golf. Neuf trous, passe encore, mais avec les 18 et les 36 trous, vous cherchez les ennuis et vous serez à peu près sûr de les avoir.

*Le rythme.* On pense que c'est une suite cosmique, strictement individuelle et personnelle. Vous êtes le seul à pouvoir déterminer votre rythme mental, physique et spirituel. Ce sujet vient juste de devenir un projet de recherches sérieuses. Plusieurs savants et docteurs réputés étudient actuellement cette force éloignée qui nous dirige et ils ont déjà obtenu certains résultats assez étonnants qui révèlent de nouvelles idées de recherche que l'on considérait avant comme n'étant pas très claires et avec beaucoup de scepticisme lorsque ces notions furent suggérées pour la première fois en Europe. On trouve actuellement plusieurs livres qui tentent d'expliquer cette théorie, mais celui qui explique le mieux ce sujet, bien qu'étant assez schématique, est intitulé « *Biorhythm* »[1]. Vous pouvez également trouver des tableaux de rythme, ainsi que des instruments et des instructions complètes vous permettant de déterminer vos propres rythmes.

*Les loisirs.* De nouveau, ici, nous séparons non seulement les hommes des gamins, mais nous poussons même plus loin, en

---

1. New York: Crown Publishers, Inc.

observant de quelle manière un esprit empreint de maturité s'élève au-dessus du comportement de l'homme ou de la femme qui n'a jamais su grandir mentalement. Notre idée est la suivante: *Le germe des grandes fortunes, d'accomplissements extraordinaires ou même d'aspirations générales vers le bonheur, se nourrit du niveau et du degré de loisirs que l'individu se choisit.*

Une partie de ballon occasionnelle, une petite visite au champ de course, l'intérêt judicieux à un passe-temps favori ou une soirée de divertissement raisonnable peuvent rapporter beaucoup à une personne qui se permet cette brève détente loin des tensions de la journée, mais en s'abandonnant plus longtemps à un intérêt récréatif, on affaiblit tout son processus de croissance. L'intérêt enthousiaste pour un loisir rapporte énormément lorsque vous vous trouvez derrière le guichet, mais si vous vous arrêtez à compter combien vous dépensez vous-même, prix d'admission et le reste, l'accroissement que vous vous refusez, à vous-même et à votre famille, prend des proportions énormes.

*Les périodes de loisirs équilibrées* peuvent apporter beaucoup de puissance au processus de régénération. D'un autre côté, en s'abandonnant à l'intérêt suscité par un jeu ou par un passe-temps, quel qu'il soit, plus qu'occasionnellement, on détruit tout le but du renouvellement physique et mental. La seule alternative serait de transformer cet abandon en entreprise commerciale, orientée vers le gain, dont le seul objectif serait de devenir un spécialiste extraordinaire de ce jeu ou de ce passe-temps. Ainsi, durant vos heures de loisirs, vous lirez de bons livres, assisterez à des pièces de théâtre, vous écouterez de la bonne musique, ou vous voyagerez, bref, vous vous consacrerez à des activités qui n'ont rien à voir avec le sport ou l'activité qui remplit vos heures *d'affaires.*

La conservation et la direction de l'énergie physique est un vrai travail d'administration — auquel vous devez vous consacrer tous les jours. En agissant autrement, vous perdez beaucoup trop d'argent, d'accomplissement ou d'enrichissement de votre personnalité prête à atteindre un succès énorme.

*Cet ingrédient extrêmement puissant que l'on appelle succès*

Maintenant que nous avons évalué les quatorze premières

étapes *par rapport à votre programme de vie,* le procédé final de synthèse sera donc d'appliquer ces étapes à notre programme quotidien d'accroissement. De ne pas inclure ce dernier ingrédient, de puissance vitale, dans notre plan serait comme d'oublier de mettre du levain dans notre pâte à pain — et c'est votre habileté à le mélanger et à l'incorporer à votre plan d'accroissement qui déterminera la qualité de votre procédé de transformation, pendant que vous apprenez à apprécier la valeur, le haut plateau de la pensée et du comportement du millionnaire, à vous en approcher et enfin à l'atteindre.

*Votre accomplissement extraordinaire est à portée de votre main.* Dès que vous aurez ajouté la prochaine étape, l'étape finale, à votre plan d'accroissement, vous y serez arrivé.

### Résumé

1. Voilà la grande question : est-ce que l'*acide urique* est vraiment l'additif tout-puissant qui stimule la batterie humaine? Si cette suggestion est vraie, qu'est-ce que les hommes de science doivent faire pour équilibrer l'exploitation de cette substance dans le fonctionnement du corps humain?

2. Le premier pas vers une efficacité maximale de notre corps, c'est de bien connaître l'art de *régénérer* l'énergie humaine.

3. Huit points fondamentaux forment la base du processus de régénération : (1) le repos (2) l'eau (3) la respiration (4) l'alimentation (5) le sexe (6) l'exercice (7) le rythme (8) les loisirs.

4. Un passe-temps peut vous rapporter du repos, de l'inspiration, de l'argent ou un gaspillage terrible d'énergie physique. A vous de choisir.

5. Une bonne santé, une grande énergie physique, de grands accomplissements dans n'importe quel domaine d'activité, ne peuvent jaillir que d'un climat mental fortement *positif.* Il vous faut maintenant vous assurer que vous êtes *orienté vers le succès* dans tout ce que vous entreprenez.

# Comment développer la qualité de la décision

Lorsque vous *visez juste* la bonne idée, puis que vous vous engagez à faire démarrer votre nouveau concept, vous vous apercevez très vite qu'il est aussi difficile de contrôler l'inondation de l'argent qui rentre, que ça l'a été au début pour faire démarrer votre entreprise.

Cependant, quand on apprend à penser en millionnaire, certains *agents de modification* viennent inévitablement tout troubler: *les autres gens.* Il est nécessaire de faire face à cette réalité inflexible de l'existence avec sénérité et de l'absorber avant de pouvoir faire un certain progrès. Malheureusement, trop de gens agissent encore selon les «lois de la jungle», «le monde appartient aux plus audacieux», et ainsi de suite *ad nauseam* et je ne voudrais pas qu'il en soit autrement, puisque c'est l'essence même du système compétiteur de la libre entreprise. Je sais parfaitement que nous allons nous faire huer par les faibles, les paresseux, les incompétents et les idéalistes à la pensée brouillée, mais les faits restent ce qu'ils sont: *Nous ne pouvons croître et grandir qu'avec la friction, sans règle aucune, de la forte rivalité, qu'elle soit honnête, hypocrite, malicieuse, malhonnête ou destructrice.*

Ceci vous semblera une évaluation bien dure de notre mode de vie, mais nous ne pensons pas vraiment en millionnaires, tant que nous ne savons pas accepter le fait que ces écarts font partie de notre vie.

Je sais à quel point ceci peut être décourageant pour un jeune homme ou une jeune femme qui sort tout juste de l'université, où l'on insiste sur l'esprit sportif, où l'on encourage l'esprit de compétition en tant que préparation solide aux expériences de la vie, mais nous apprenons vite que ces notions disparaissent dans les milieux des affaires, de la politique, de la religion et des professions libérales. Je le sais, car j'ai assisté à des réunions dans chacun de ces milieux.

Et, de nouveau, je ne voudrais pas qu'il en soit autrement, car ces activités apparemment négatives deviendront un jour ou l'autre une manière pour nous d'atteindre l'objectif de notre destinée.

Nous devons apprendre à utiliser ces « trucs » ou ces instruments, si on peut les appeler ainsi, pour nous protéger *dans les corps à corps*, car nous nous y trouverons impliqués aussi sûrement que nous savons que le soleil va apparaître à l'horizon du côté est demain matin.

Le premier précepte que nous devons apprendre à connaître à fond est la qualité de la décision. Le talent de dire *oui* au bon moment, puis de nous lancer à l'action avec tous les moyens que nous possédons ou le bon sens de dire *non* quand nous sommes pris par des tactiques de pression et de savoir tenir bon. A ce propos, il est bon que vous sachiez que, dès qu'un vendeur se met à appliquer des techniques de conclusion de vente extrêmement fortes, vous devez tout de suite réaliser que le bon qu'il promet, il se le promet à lui-même et non à vous.

*« Des décisions, des décisions... »*

A travers les années, on a beaucoup plaisanté sur le besoin de prendre des décisions. En fait, le talent spécial d'arriver à des conclusions valables et solides provient de trois actions mentales faciles. Les voici:

1. Écouter
2. Vérifier les faits en posant des questions pour susciter une discussion
3. Trier et évaluer les renseignements accumulés.

Toute autre procédure est absolument erronée.

Tout comme certaines qualités révèlent une personne qui sait aller de l'avant, ainsi certaines caractéristiques soulèvent, d'une manière positive, un homme ou une femme au-dessus de la normale. Vous reconnaîtrez immédiatement ces qualités en entrant en contact avec les individus. En fait, il est presque toujours possible d'évaluer par l'apparence la capacité de prise de décisions d'une personne.

## Le contraire de la décision

Lorsqu'un homme, une femme ou un adolescent est nonconformiste de façon très évidente, enclin à exprimer sa précieuse *individualité*, on peut toujours affirmer de façon sûre qu'il a une mentalité *éparpillée*. La qualité de la décision n'émane que d'une expression humaine normale. Toute tendance à critiquer les modes de comportement acceptés démontre un mépris flagrant des droits d'autrui, un complexe d'infériorité évident et un manque de courtoisie presque primitif. Je vous dis que nous allons bientôt avoir des centres de réhabilitation pour ce genre de personnages.

## Les cinq points fondamentaux de la décision

Maintenant que nous nous sommes débarrassés des aspects négatifs du problème d'atteindre des conclusions valables, apprenons les conseils permettant de prendre, rapidement et facilement, des décisions fermes et positives. Puisque nous connaissons déjà l'art de prendre des décisions provenant de la capacité d'écouter, observons maintenant quelques qualités tendant à confirmer ce trait des plus précieux.

1. Nous avons souvent dit que la première caractéristique de cette qualité spéciale, est une réelle attitude de *netteté* dans la façon de parler, le comportement, les opinions et les conclusions.

2. Un objectif d'accomplissement ferme et à long terme qui a tendance à révéler les caractéristiques extérieures d'une personne qui sait aller de l'avant.

3. Un individu qui semble toujours se considérer lui-même et ce qui l'entoure d'un regard positif.

4. Une personne qui considère le progrès, modéré par un grand discernement et confirmé par des faits, comme un mode de vie et

5. La capacité de se contempler lui-même et la situation dans laquelle il se trouve d'un regard calme et détaché.

*L'histoire de Joe*

On m'a présenté Joe comme étant le mari d'une femme écrivain très prometteuse. A l'époque, il était en charge d'un studio important. Tout le monde savait que quand Joe était en charge, éclairages et caméras se trouvaient au bon moment au bon endroit. Il avait un talent fantastique pour prendre des décisions-éclair.

Cet homme se trouvait toujours sur le plateau au moment précis qu'indiquait sa fiche d'appel et sans un instant d'hésitation, il lançait des ordres à son équipe en termes qui ne laissaient aucun doute sur ce qu'il voulait, mais un matin, le vrai test sur sa capacité de prendre des décisions l'a frappé sans avertissements. Il avait arrangé son équipement comme le prévoyait le plan et tous les «spots» se trouvaient à la bonne place, lorsque tout d'un coup, Lana Turner et le très regretté John Hodiak ont commencé à se quereller pour savoir qui aurait le meilleur éclairage. Dans ce climat d'énervement, les choses sont vite devenues incontrôlables. Tellement, en fait, que Louis B. Mayer, le grand génie en réalisation de ce vaste complexe de studios, est arrivé sur le plateau comme un enragé; ses yeux étincelaient d'un feu bleu et froid. Même pour mille dollars à la minute, je ne pourrais pas dire que je le blâmais, mais en trois courtes minutes, j'ai compris comment ces deux hommes occupaient la première place dans leurs professions respectives.

Mayer a demandé à Joe: «Qu'est-ce qu'on peut faire?» La plupart des hommes auraient croulé sous cette question du grand directeur, mais pas Joe. Il a répondu sans hésitation: «De la façon dont j'ai arrangé les spots, nous avons partout le meilleur éclairage possible.» Le directeur acquiesça, et Mayer aboya: «Laissez-les tels quels et commençons donc». Et à sa façon de le dire, tout le monde a compris ce qu'il voulait dire.

Plus tard, pendant la pause de dix minutes, j'ai demandé à Joe comment il pouvait être si sûr de lui avec tout ce que risquaient de provoquer ses paroles. «Facile», m'a-t-il répondu, «le soir d'avant, je prends le temps de revoir l'horaire de tournage du lendemain. Je revois le plateau, le dialogue, et ce qu'il faut pour le script; puis j'arrange mes spots d'après les instructions et je sais que je n'aurai aucun problème.»

La morale de cette histoire est toute simple: «*Sachez* où vous allez et puis allez-y.» C'est aussi simple que ça. La qualité de décision ne peut provenir que d'une source — *une information correcte* évaluée correctement.»

*Attendez-vous toujours à l'inattendu — et soyez prêt*

Il y a plusieurs façons de se préparer à toute éventualité, mais je pense que la meilleure que j'aie jamais connue est celle de Bill Pullman, un type qui était dans l'une de mes classes d'administration. Il semble que Bill ait fait une perte assez sérieuse dans l'une de ses entreprises et la cause de son problème s'est avérée être l'une dont il se serait le moins attendu — un ami.

Apparemment, ce soi-disant copain se rongeait intérieurement de dépit en voyant le progrès que faisait Bill, alors il a frappé la partie la plus vulnérable de ses plans élaborés avec soin. Lorsqu'on a eu ramassé les dégats, Bill se retrouvait sans travail, et le plaignant a été promu chef de bureau de son service. Dès lors, Bill a surveillé tous les trous de rats de toute nouvelle idée qu'il développait. Sa façon d'y arriver a parfois été très comique, mais sa préoccupation de «ce qui pourrait arriver» l'a récompensé immensément. Voici comment il s'y est pris: dès qu'il adoptait un nouveau projet, Bill consacrait plusieurs jours à faire la liste de tout ce qui pourrait déranger ses nouveaux plans. Ce procédé faisait d'une pierre deux coups. Non seulement il éclairait les avantages de son programme, mais il révélait des plus clairement toutes les faiblesses que l'on n'avait pas vues. Parfois sa liste de *supposé que* s'étendait à vingt-cinq ou trente articles, mais une fois que Bill avait terminé son inventaire de «recule-d'un-pas-et-regarde», il avait beaucoup de confiance en lui-même.

Jour après jour, en réalisant ses programmes, il pouvait avancer de façon sûre et rapide vers son objectif. Chaque fois qu'une nouvelle étape de son plan d'action était prête, il était en mesure de s'engager dans la prochaine démarche décisive avec un esprit téméraire prêt à parer à tout défi. Aujourd'hui, Bill est président de sa propre compagnie.

Il est parfaitement vrai que le fait de *penser grand* est un peu magique, mais il est tout aussi vrai que l'homme ou la femme qui pense en termes de grande richesse prend toujours le temps de regarder *au-delà* de l'évidence. A prime abord, cette précaution pourrait sembler inutile, mais si ce *plan d'assurance* convient aux chefs militaires intelligents et décidés, il convient certainement aux domaines hautement concurrentiels des *grandes affaires*. Les grands stratèges de l'armée ont toujours à portée de main les plans A, B et ainsi de suite, prêts et complets, jusqu'à ce qu'ils aient épuisé la liste des contre-attaques possibles.

*Cinq façons d'entretenir la qualité de décision*

Que vous achetiez un terrain pour investissement, une maison pour votre famille, une nouvelle voiture ou que vous vous lanciez dans l'avenir avec un plan d'un an, de cinq ans ou de dix ans élaboré avec soin, vous devez respecter certaines règles fondamentales à chacune de vos démarches. Si vous en abandonnez une à la chance, vous laissez *une brèche au barrage* qui pourrait très facilement laisser perdre des années de préparation et de travail acharné. Vous pouvez éviter cette calamité en évaluant vos plans d'après les conseils suivants:

1. Répétez-vous que «la connaissance, c'est la puissance». Aussitôt qu'un homme ou une femme comprend le fait fondamental que la qualité de la décision naît des *faits*, accumulés avec soin, triés et évalués, il est prêt à s'engager dans l'étape suivante que nous dicte la logique.

2. *Devenez expert en quelque chose.* Dès que vous saurez tout ce qu'il y a à savoir sur un sujet donné, quel qu'il soit, vous aurez bâti une base aussi solide que du roc pour accomplir tout ce que vous voulez de façon «nette et rapide».

Voici l'histoire de Jim Knowles. Comme sa famille insistait trop sur ses notes, Jim a perdu tout intérêt à l'école lorsqu'il était encore au début du secondaire. Ce fut aussi simple que cela. Après trois ans de gros travaux dans le milieu de la construction, Jim a commencé à prendre conscience de lui-même. Il n'était que trop évident que s'il désirait échapper au train-train routinier de la vie quotidienne, il lui fallait retourner aux études.

Quand le mois de septembre est arrivé, Jim s'est inscrit à

quatre cours de l'école du soir. L'un des cours portait sur la capacité de parler en public. Ce cours l'intéressait beaucoup, bien qu'il sente ses cheveux se dresser sur sa tête à l'idée de se lever pour parler devant un groupe de personnes. Comme ses efforts de participation à la partie du cours où il s'agissait de préparer un discours se limitaient à une série de « Hum... » « euh... » et de « Bien... », il s'est arrangé pour éviter le plus de devoirs possible; mais l'autre partie du cours l'intéressait beaucoup: je ne sais pas pourquoi, mais les règlements précis des procédures parlementaires le passionnaient.

Jim a mémorisé, étape par étape, toutes les procédures qui règlent la tenue des réunions officielles des domaines des affaires et de la législature. Il s'est mis très vite à participer activement à cette partie du travail de classe. En apprenant à mieux connaître les règles et les ruses qu'utilisait l'*opposition* pour contrecarrer les plans et les objectifs de « son parti », il a perdu graduellement la peur de se lever en public. Son habileté à parler en public s'est développée à mesure qu'il a appris à utiliser sa connaissance des règles parlementaires. Et en acquérant ces talents, il a commencé à s'intéresser à la politique. Il s'est inscrit pour pouvoir voter et s'est joint à l'organisation du parti qui répondait le plus à ses opinions politiques ; il s'est mis à l'oeuvre avec acharnement. On n'a pas mis beaucoup de temps pour reconnaître que Jim était un garçon plein d'avenir. Entre-temps, son travail à la compagnie de construction s'était tellement amélioré que de simple ouvrier, il est passé à un poste subalterne dans le bureau.

Un jour, les politiciens locaux, qui avaient été laissés de côté, se sont jetés sur les employeurs de Jim avec l'intention de tout détruire. Dans l'échauffourée pour ainsi dire publique qui s'ensuivit, Jim s'est acharné à si bien se débattre, que l'opposition a battu en retraite. Les employeurs ont été abasourdis de voir un pareil talent jaillir d'un simple commis de bureau; du coup, ils l'ont promu au service des contrats et à partir de ce moment, sa carrière est devenue presque météorique. Et tout ceci parce qu'il s'est laissé passionner par un intérêt spécial et qu'il est devenu expert en quelque chose.

3. Évidemment, l'étape suivante, selon toute logique, est d'apprendre à savoir parler en public — non pas que la société ait

actuellement grand besoin d'orateurs de génie, mais pour la simple raison que des talents qu'il faut développer pour devenir orateur public, naît la qualité de décision.

4. Suivez un cours de logique. S'il ne s'en donne pas dans votre communauté, allez à la bibliothèque et trouvez-vous un livre sur ce sujet. Si vous n'en trouvez pas, inscrivez-vous à un cours de géométrie plane. Votre objectif sera de vous familiariser avec les étapes de la réflexion logique — et lorsque la qualité de la pensée logique complémentera vos talents, votre qualité de décision grandira et deviendra un atout dans tout ce que vous entreprendrez.

5. Apprenez à organiser votre travail. Planifiez toutes vos activités le plus efficacement possible. Revoyez la dixième étape qui traite de l'utilisation de votre temps, à la page 121.

### Découvrez un besoin économique et répondez-y

Aucun autre pays de notre monde fou et perturbé et aucune autre époque de l'histoire humaine n'a jamais offert autant de possibilités de devenir millionnaire, ni le cours des événements offert autant d'occasions de se faire une grande fortune. C'est extraordinaire.

Il y a bien peu de choses, dans notre monde, qui ne réagisse pas à la netteté d'intention. Et cet ingrédient puissant de l'ensemble de la personnalité tend à vous faire rayonner d'une aura de précision, *que l'on ne peut acquérir d'aucune autre façon.*

En fait, en recherchant la cause fondamentale, on s'aperçoit que l'intention déterminée est le premier dénominateur commun de la quête du succès. Lorsqu'on ajoute à son expression humaine la qualité d'intention déterminée — et en ce moment nous pensons à votre expression en particulier, on ne peut pas avancer ailleurs que *vers le haut.* Lorsque vous aurez introduit cet ingrédient des plus précieux dans votre programme d'accroissement, votre prochaine étape sera de découvrir un besoin dans un domaine d'activité et d'y répondre, avec une imagination que vous ne modérerez que par la sage considération des aspects pratiques de votre nouveauté.

En une semaine, j'ai remarqué trois plans qui sont en train d'enrichir leurs créateurs. Le premier est un nouveau système d'ordinateur électronique visant à éliminer le besoin de porter sur soi de l'argent liquide. On fera le premier essai de ce service à l'immense « California World's Fair » qui va avoir lieu ici à Riverside. L'idée de la liquidité électronique sera peut-être déjà acceptée à l'échelle nationale lorsque ce livre sera publié. Son inventeur, Dr. Melvin E. Salveson, annonce plusieurs utilisations passionnantes de sa création, mais je peux dire avec assurance que cet appareil menace sérieusement les carrières des pickpockets, des voleurs de banque et des organisateurs de hold-ups.

La deuxième nouveauté est un cadenas à combinaison de deux chiffres que l'on installerait sur le tableau de bord des voitures — cet appareil très simple, qui peut être installé en usine pour presque rien, peut presque faire disparaître les vols d'automobiles. L'idée, c'est que lorsque le moteur est arrêté, la seule façon de faire redémarrer la voiture, c'est que le conducteur tourne le bouton des points 1 à 2 d'après une séquence de chiffres qu'il est seul à connaître.

La troisième nouveauté s'introduit dans la vie privée de votre salle de bain. C'est un appareil du nom étrange et inhabituel de « Bidet ». Il permet d'éliminer complètement l'utilisation du papier de toilettes, qu'il remplace par un système de lavage et de séchage rapides. On peut l'installer en quelques minutes seulement à n'importe quel siège de toilettes ordinaire et le brancher à la prise de courant la plus proche. On annonce plusieurs utilisations étonnantes de cet appareil, mais la plus étonnante est la manière avec laquelle il devrait pouvoir effectuer les fonctions rapides et sanitaires de l'hygiène féminine.

Il est évident que les créateurs de ces nouveautés ont créé quelque chose de beaucoup plus important. Par exemple, on a ajouté à notre mode de vie de nouvelles protections, des services et des commodités sans précédent, on a atteint une richesse productive, simplement en créant de nouveaux emplois et en augmentant ainsi la puissance d'achat d'un bon nombre d'individus.

En considérant la croissance du potentiel de gain au sein de notre économie, il est évident que nos occasions et nos possibilités sont illimitées. Surtout si vous pensez que les trois idées que je viens de vous décrire se répètent de différentes façons en moyenne

5600 fois par année et que ces appareils de base et ces plans se remultiplient au moins par sept l'année suivante, je me demande souvent comment quiconque ayant un minimum de cran, pourrait éviter de se heurter à une entreprise d'un million de dollars. Depuis deux ans que je rassemble des renseignements pour écrire ce livre, mes yeux se sont ouverts si grand que j'en suis aveuglé. Je remarque tant d'idées, de plans et d'appareils tout prêts à être utilisés, que j'ai parfois l'impression de tenir en main les clés privées des coffres au trésor de l'univers. La seule influence qui me retient, c'est le fait que maintenant, dans ma vie, je suis en train de faire la chose que j'ai toujours désiré faire, mais vous — qui avez devant vous dix, vingt ou même quarante ans bien productives — devriez vous plonger tête la première dans un avenir plein de richesses et de satisfactions, noyé dans les richesses, les accomplissements ou la satisfaction personnelle d'avoir servi l'humanité. Dès aujourd'hui, vous avez le choix.

*Résumé*

1. Nous ne pouvons croître et nous agrandir physiquement, mentalement et spirituellement, qu'en acceptant l'existence dure et troublante de la forte concurrence, qu'elle soit positive (de notre côté) ou négative (contre nous). La meilleure stratégie est d'apprendre à avancer de concert avec elle (bonnes relations humaines) ou de nous préparer à affronter les attaques détournées, malicieuses ou malhonnêtes des mentalités retorses.
2. On peut franchir les premières étapes vers le talent de la prise de décision en acceptant une formule facile à apprendre:
   a. Écouter
   b. Tester
   c. Trier et évaluer les renseignements rassemblés.
3. On peut acquérir très rapidement les traits fondamentaux de la qualité de décision en:
   a. développant une attitude de netteté dans sa manière de parler, de se comporter dans ses opinions.
   b. Déterminant des objectifs d'accomplissement loin dans l'avenir.

c. En croyant fermement et positivement en nous-même et en tout ce qui nous entoure.

d. En appréciant grandement le progrès pratique.

e. En développant la capacité de nous évaluer nous-même de façon réaliste.

4. Attendez-vous toujours à l'inattendu et gardez à portée de main des plans propres à affronter l'urgence.

5. Les règles suivantes vous aideront beaucoup à entretenir votre qualité de décision:

a. Dans toute situation, assurez-vous toujours de posséder tous les faits.

b. Prenez la résolution de devenir expert en quelque chose.

c. Apprenez à vous exprimer de façon claire et décidée.

d. Entraînez-vous à penser de façon logique et avec *continuité*.

e. Apprenez à organiser votre travail, vos plans, et vos activités. *Autrement dit, réfléchissez et planifiez pour l'avenir.*

## QUELQUES MOTS SUR L'AUTEUR

HOWARD E. HILL est le cousin du très regretté William Randolph Hearst. Il fut conseiller en journalisme et en relations publiques pendant presque trente ans. Il est président général de « Management Seminar » et participe très activement au groupe des « Toastmasters International ». Il y a quelques années, il écrivit un livre intitulé « How to Create the Big Idea », dont il s'est vendu plus de deux millions de copies; son tout récent livre intitulé « Energizing the Twelve Powers of Your Mind » et publié chez Parker, fut acclamé dans tout le pays, comme le démontrent les chiffres de vente gigantesques ! M. Hill enseigna le journalisme et l'art d'écrire à l'université, avant de devenir agent littéraire et correspondant à Hollywood d'un grand nombre de journaux et de revues, à l'échelle nationale et internationale.

L'homme qui se lève et pénètre dans le monde est un homme transformé. Il possède alors l'aptitude unique mais invisible de transformer ses rêves en réalités, ses pensées en objets. Le destin ou les effets aléatoires des circonstances extérieures perdent tout pouvoir sur lui. Soudain, le passager devient le capitaine.

Napoléon Hill nous propose treize étapes vers cette transformation qui mène aux richesses :

- Le désir
- La foi
- L'autosuggestion
- La connaissance spécialisée
- L'imagination
- La planification
- La décision
- La persévérance

- La puissance du cerveau collectif
- L'enthousiasme
- Les pouvoirs du subconscient
- Le mécanisme du cerveau
- Le sixième sens

**En vente chez votre libraire ou à la maison d'édition :**
Les éditions Un monde différent ltée
3400, boulevard Losch, local 8
Saint-Hubert, QC
Canada J3Y 5T6

Parfois avec humour, mais toujours dans un esprit de critique constructive, J. Paul Getty nous révèle les formules de son succès fabuleux en affaires, en immobilier et dans les domaines du marché boursier et des beaux-arts. Perspicace et visionnaire, il nous fait part de sa philosophie des affaires et de sa vision de la société américaine, le tout étoffé de conseils pratiques sur la façon de devenir riche... et de le rester. "Devenir riche" est une lecture essentielle pour toute personne qui désire devenir millionnaire et un guide pratique pour savoir quoi faire une fois qu'elle l'est devenue!

**En vente chez votre libraire ou à la maison d'édition:**

Les éditions Un monde différent, ltée
3400, boulevard Losch, Suite 8
Saint-Hubert, QC
Canada   J3Y 5T6
(514) 656-2660

Napoleon Hill, auteur d'**Accomplissez des miracles** et des **Lois du succès**, vous livre dans ces pages un passe-partout qui vous ouvrira les portes qui donnent sur la santé, l'amour et la prospérité.

Ce passe-partout vous permettra de transmuer vos déceptions et vos échecs en richesses d'une inestimable valeur. Il saura arrêter les aiguilles du temps pour vous redonner l'esprit de la jeunesse.

Le passe-partout vers les richesses constitue la méthode par excellence grâce à laquelle vous maîtriserez votre esprit et vous assurerez dès lors le contrôle absolu de vos émotions et du pouvoir de votre pensée.

**En vente chez votre libraire ou à la maison d'édition:**

Les éditions Un monde différent, ltée
3400, boulevard Losch, Suite 8
Saint-Hubert, QC
Canada   J3Y 5T6
(514) 656-2660